# 上京物語

〜僕の人生を変えた、父の五つの教え〜

喜多川 泰

Discover

# 上京物語

～僕の人生を変えた、父の五つの教え～

装丁　イヤマデザイン
装画　浅妻健司
写真　© GYRO PHOTOGRAPHY/amanaimagesRF/amanaimages
© MARISA SHIMAMOTO/「PHaT PHOTO'S」/amanaimages
© ANYONE/amanaimages

# もくじ

## scene1
## 「祐介」の物語

## scene2 父からの手紙

scene 1

# 「祐介」の物語

一人の青年がいた。
名前を祐介といった。

「すけ」は、「輔」だと書くのが面倒なので「介」にしたのだろう。

# 人生のスタートライン

大学を卒業したばかりのその若者は、今まさに人生のスタートラインに立っていた。

決意に満ちあふれたその顔つきには、自信がみなぎり、将来への期待に目が輝いている。


祐介には夢があった。

いつか成功者と呼ばれる人になることだ。


一言に成功といっても難しい。正直、祐介も成功とは何かまだよくわからない。

彼の中では、お金持ちとほぼ同じ意味だっただろう。

働かなくても生きていけるほどお金持ちになって、豪邸に住み、海外にもたくさん別荘を持って、世界中を旅行する。それから、素敵な彼女も……。とにかく、欲しいと思ったものがすべて手に入れられる人生。

きっとそういう人生を手に入れた人を成功者というのだろう。

そうなる方法がどこかにある。それを見つけ出すんだ。

祐介はそう考えていた。

もちろん彼が欲しいものは、大富豪が持っているようなものばかりじゃない。

大画面のテレビ、乗り心地のいい車、小さいながらも自分の家など、別に大きな成功を収めなくても持てるようなものだって欲しい。

たとえ小さくとも自分の欲しいものを徐々に手に入れていくことは、祐介にとっては、成功者へとつながる大切なプロセスだった。

「大きな成功を収めた人は誰だって、こういうものを手に入れている。自分だって成功すれば、その過程で必ずこれらのものも手に入れられるはず」

残念ながら祐介は、今のところまだ何一つ手に入れていない。

でも、あまり悲観はしていなかった。

何しろ彼は若く、しかもまだ人生は始まったばかりだ。

祐介が「成功者になりたい」と思い始めたのは中学三年の頃。

学校や家でやたらと「将来」について考えさせられ始めた時期だ。

もちろんそのときは、それほど真剣に考える必要はなかった。将来やりたいことは決まっていなかったが、あっさり高校へ進学することに決まったからだ。

ただ、この頃から「自分の将来」について頻繁に考えるようにはなった。

同じクラスには、高校に行かずに就職するやつもいる。

「もし高校に行かないとしたら、もう何をやって生きていくか決めてなきゃいけないのか……」

漠然とだが、そんなことを考えるようになった。

子供の頃から何となく使っていた「将来」という言葉が、すぐ近くまで来ているような気がした。

何をしたいかはわからない。

でも、せっかくだから成功者になりたい。


祐介が自分の将来を考えたとき、最初に出てきた答えがこれだった。

もちろん人から将来のことを聞かれたときには、

「別にィ」

と特に野心があるようなそぶりも見せなかったが。


高校二年の夏。

苦しいことから逃げ続け、あらゆることにやる気をなくしていた、祐介の人生の中で一番自分のことが嫌いだった時期。

相変わらず自分のやりたいことは見つかっていなかった。

勉強もやる気がせず、ただ無気力に過ごす毎日。そんな生活を続けながらも、成功者になりたいという夢は捨てなかった。

このままでは、あと一年半で「将来」が目の前にやってきてしまう。

それまでに自分のやりたいことなんて見つけられるのだろうか。

どうやって成功者になるかを見つけ出すことができるのだろうか。

そんな不安から逃れるように、祐介は「よくある進路」へと傾いていった。

「とりあえず大学に行こう。大学に行けば、四年間は時間がある。そこで、成功者になる方法を考えよう」

彼の受験勉強が始まった。


祐介はたいした努力もしないくせに、プライドだけは高い。

「まあ、どこかは受かるだろう。何とかなるさ。俺は運がいいから」

そんな根拠のない理由で有名大学をたくさん受験するも、すべて失敗。

一年間の浪人生活の末、やっと第三志望の大学に合格した。

それが今から四年前の出来事だ。

大学に入ってからも、祐介は成功者になる方法をずっと考えてきた。今度ばかりは「将来」を先延ばしするわけにはいかない。四年後には、子供の頃から使ってきた「将来」という言葉が「まさに今」になっている。

会社を興したらどうか？　特許をとれるような発明を考えてみようか？　株、不動産、先物取引……。

いろいろ考えてはみるものの、いつも答えは同じだった。

「今のままでは無理だ」

理由もいつも同じ。

「そのための資金がない」

何をしようと思っても、最初の段階で資金がいることばかり。でも、その肝心の資金をどうやって手に入れるのか。

いつも同じ壁に行き当たる。まさに堂々めぐりだった。

結局、最後はいつも決まって同じつぶやきで終わる。

「俺が今、一千万円持っていたらなぁ。そうすれば会社を興せるのに。ああ、結局成功できるのは、もともと何かを始めるための資金を持っている金持ちだけなのかなぁ……」

もちろん、心からそう思っているわけではない。

はじめから資金を持っている人しか成功できないなどと認めてしまったら、自分は成功なんてできないと自ら認めることになる。

だから、放っておくと自然にわきあがってくる思いをかき消して、

「いや、どこかに必ずあるはずだ。成功者になる方法が。まだ見つかっていないってことは、俺にとって今はそれをやる時期じゃないってことだ。なあに、そのときが来たら、必ず見つかるさ」

と自分に言い聞かせる。

そう考えることで、思いどおりにいかない状況を何とか受け入れることができた。

将来やりたいことを見つけるための期間として、大学四年間は短かった。

結局、何の具体的なアイデアもないまま、四年が過ぎ去っていった。

成功者になりたいからといって、卒業後もその方法だけを考えて生きてゆくわけにはいかない。

とりあえず自分が本当にやりたいことが見つかるまでは、何か割のいい仕事をしておくのが一番だろう。そんな消極的な理由で就職活動を始めたのは、大学四年も半ばを過ぎた頃。

まわりに比べると完全に出遅れていたが、選り好みさえしなければ仕事なんてどうにでもなるだろうとあまり気にしてはいなかった。

「将来成功する方法を見つけるまでは、働いて生活費を稼ぐ。そして、頑張って自分で会社を興すための資金を貯めよう」

祐介が探していたのは、本当にやりたいことが見つかるまでの居場所でしかなかった。

いざ自分の人生でやりたいことを思いついたときに、いつも立ちはだかる資金という壁を乗り越えるには、何はともあれ、働いてお金を貯めるしかない。

祐介にとって会社は資金づくりの場所でもあった。

何はともあれ、祐介は人生のスタートラインに立ったのだ。

この物語は、成功者になることを心から夢見る、ある一人の青年のライフストーリーである。

# 努力の日々

社会人になった祐介の生活は、学生時代の想像とは二つの点で大きく違っていた。

一つは、これは本当に自分でも予想外だったが、「仕事が楽しい」ということ。

やりたいことが見つかるまでの居場所のつもりでしかなかったのに、いざ働き始めると、仕事が楽しくてたまらない。働けば働くほど自分が成長しているのがわかる。仕事のスキルはもちろん、人間的に磨かれ、内面的にも成長している実感があった。

楽しいことは、自分から進んで工夫もする。その結果、仕事がうまくいき、上司からほめられる。ほめられるとまたやる気が出る。


こうして祐介は、仕事にのめり込んでいった。

学生時代、自由を奪われる気がしてあれほど恐れていた「働くこと」は、自由を持て余してため息ばかりついていた学生時代よりもはるかに楽しく、充実したものだった。

思えば祐介は、中学を卒業してからの八年間、何かに必死になる楽しさを忘れていた。何かに一生懸命になるのは辛いことのように思えて、いつも必死になることを避けてきた。

面倒なことになりそうなときは、いろんな理由をつけてはそこから逃げるように身を引いていた。何かに必死になっているやつを冷ややかに見ているほうがクールでかっこいいような気がしていた。本当はそうじゃないと心のどこかで思いながらも。

でも、祐介はようやく自分の間違いに気づいた。

「楽しいことを探しても、大学時代には何も見つからなかった。でも、必死になって何かをやろうとすると、それが自分にとって楽しいことに変わるんだ」

仕事は祐介に、がむしゃらになって遊んでいた子供の頃の楽しさを思い出させてくれた。

あの頃は、楽しかったから必死で遊んだんじゃない。

必死で遊んだから、何をやっても楽しかったんだ。

もう一つの予想外は、思っていた以上にお金を貯めるのが難しかったということだ。寝る間を惜しんで働いても一ヵ月後にもらえる給料は少なく、切りつめて生活しても月末には足が出る。給料日前は先輩におごってもらうことで何とかしのぐことができた。

この状況で彼にできることは一つしかなかった。

一日も早く認められ、社内での地位を上げ、給料を増やすことだ。

幸いなことに、働くこと自体は楽しい。

祐介は、将来の希望に向かって脇目もふらず働いた。

働き始めてからわずか数ヵ月のうちに、祐介の関心は「翌年の昇給」という一点に絞られていた。

「来年こそは……」

がむしゃらに走り続けた一年間は、あっという間に過ぎた。

一年後の春。

待ちに待った給料日。

自分ではどうすることもできないほど膨らんだ昇給への期待は、あっさりと、そして完全に裏切られた。

怒りやむなしさを通り越すと、人間は笑うらしい。

給与明細を目にした祐介の顔には苦笑いしか浮かばなかった。

確かに給料は上がっていたが、こんなに少ないとは想像すらしなかった。

金額にして一万円。

そのうち半分は税金やら何やらで引かれてしまうので、実質五千円ほどの昇給。

これでは、切りつめて生活をしなければならない現状すら変わらない。

祐介は給与明細をじっと見つめていた。「何かの間違いじゃないか」とすら思った。

この一年間、誰よりも熱心にやってきた。

もしかしたら五万、いや、ひょっとすると十万円くらい上がっているんじゃないか。それが祐介の実感だった。何しろ、今の自分は一年前の自分とは比べものにならないほど成長したのだから。

自分の予想が常識ではありえない数字なのもわかっていた。でも、彼には常識をやぶるだけの自信があった。それほどまでに粉骨砕身、働いてきた一年間だったのだ。

「この一年間の俺の頑張りを、会社は数千円と評価したというのか……」

祐介は怒りにも似たやりきれなさを感じた。

そんな彼を支えたのは、幼い頃から抱いてきたあの思いだった。

「俺は、人生の成功者になる」

何をするのか、どうやるのかというアイデアはない。でも、成功者になるには、人生のいろんな場面で試練を経験しては、乗り越えなければならないだろうということだけは覚悟していた。

だからこそ、失望の底でわきあがってきたのは、あきらめではなく、不屈の誓いだった。

「これくらいの試練じゃあきらめないぞ。俺は絶対に成功者と呼ばれる人になるんだ！」

彼は、そういう青年だった。

期待を裏切られたというやりきれなさを感じながらも、その翌日には、

「君の給料を上げたいと会社に言わせるほど、認められる存在になるまでだ。よし、絶対に来年こそは！」

と決意を新たに、再びがむしゃらに働き始めた。

一年、また一年と時は過ぎた。

毎年「次こそは……」「次こそは……」の連続。でも、祐介は決してあきらめなかった。

身を粉にして働くこと丸四年、つまり四度目の昇給を迎えたときに、ようやく生活費を切りつめなくても、月に二〜三万余るようになった。

上京後初めて手にした生活の余裕。祐介はその喜びをかみしめた。

「食うに困るようなときだってあったのに、今では贅沢しなきゃ余るんだから。やっぱり、まじめに働くのが成功への一番の近道なのかもな」

この四年間で、金銭的余裕以外にもう一つ手に入れたものがある。

祐介には、お互いに心から愛し合っている女性《ひと》がいた。

成功者になって、いい暮らしがしたい。

彼女ができてからは、その思いに一層拍車がかかった。これまで一度だって彼女に贅沢な思いをさせることなんてできなかったが、それでも幸せだと言ってくれる彼女のためにも、一日も早く成功者になりたかった。

一方、彼女のほうは特に贅沢を望んでいるわけではなかった。お金持ちになってほしいとか、成功者になってほしいという思いはなく、ただ彼と一緒にいるだけで毎日が幸せだったし、それでよかった。

二人は愛し合っていた。

## 第一の決断　車を買う

生活に余裕ができると、月々余るそのお金をどうするかを考えるようになる。

「貯めるべきか？　使うべきか？」

祐介は自分なりに考えた結果、一つの決断をした。
それまでの人生で、最大の決断を。
その裏には、八年前から抱き続けてきたある思いがあった。

　　　　　――――――――――――――――――

田舎から上京してきた祐介は、大学に通いながらも、生活費を稼ぐために毎日アルバイトをしなければならなかった。

田舎の両親も必死で仕送りをしてくれたが、それも家賃と光熱費で消えてしまう。奨学金ももらっていたが、到底すべての生活費をまかなえるはずもなく、彼の大学生活とアルバイトは切っても切れない関係だった。


最初のアルバイトは、大学の友人に誘われて始めたレストランのウェイター。

「一緒にバイトしないか?」

そんな誘いに乗って、すぐに面接を受け、働き始めた。

祐介はその友人とまったく同じ日数、同じ時間働いた。

当然、入ってくる給料も同じ額になる。

しかし、半年もすると、祐介はこみあげてくる理不尽さに感情を揺さぶられるようになっていた。

その友人は実家住まいで、アルバイトで得たお金はすべて自分のために使える。

祐介はそのことに嫉妬していた。不公平だとすら感じていた。そうじゃないとわかっていながらも、そう考えずにはいられなかった。

アルバイトを始めてちょうど一年後、その友人からこんな誘いを受けた。

「俺さぁ、バイトの給料を貯めてたら百万円になったんだけど、その金で海外に行ってこようと思うんだ。おまえも行かない？」

同じ金額を手に入れたはずなのに、祐介の手元にはただの一万円だって残りはしなかった。


この差は何だ？


自炊をする暇も、腕も、気力もなかった祐介は、食費だけでも一日二千円、最低でも月に六万円はかかる。あとは、洗濯機やテレビ、ビデオなど、一人暮らしに必要だと思ったものを買うのに充てられたので、稼いだお金が残っているはずもない。

結局その友人は、その百万円の一部を使って別の友人と海外旅行を楽しみ、さらに残りの一部を使って中古車を購入し、それでもまだ手元に二十万円を残してアルバイトを再開した。

もちろん、祐介もその恩恵にあずかった。学生時代はどこへ行くにも、その友人の車が活躍した。祐介は助手席に乗りながら、好きなときに好きなところに行ける自由さをいつもうらやましく思っていた。

一方、祐介はといえば、必死で働いた甲斐もあってか、はじめの一年間で一人暮らしに必要と思われるものを買いそろえることはできたが、二年目以降も相変わらずお金が貯まることはなかった。

仕送りのおかげで食うに困るほどの貧乏生活ではなかったが、切りつめて生活をしなければならない別の理由があったからだ。


大学二年の春、祐介には彼女ができた。

幸せな毎日だったが、つきあうにはお金がかかった。いや、むしろ当時の祐介は、彼女との時間を楽しむために頑張ってバイトをしていたようなものだ。

記念日には何かプレゼントを買ってあげたい。彼女の誕生日ともなると、数カ月前から計画して、生活費を切りつめてでもお金を貯めてプレゼントを贈った。誕生日以外にも、クリスマス、ホワイトデー、つきあった記念日と、年に何回もイベントがあるのだから、お金が貯まるはずもない。

もちろん、それがすべてのお金の使い道というわけではない。

とにかく何かあると、いや何はなくとも「飲みに行こう」と友人から誘われる。友達づきあいもそれはそれで大切だ。

結果として、祐介の大学生活は二年目以降も、手元には一銭も残らないという日々が続いた。

そんな彼女との仲がおかしくなったのは、彼女が就職活動を始めた頃だった。彼女は現役、祐介は一浪。つまり彼女は同い年だったが、学年は一つ上だった。

「面接がうまくいかなかったらどうしよう……」

「同じ大学出身の先輩に推薦してもらえそうなの。すごく優しい人で、仕事もできるのよ」

彼女は口を開けば就職活動の話ばかりするようになった。

まだ大学三年になったばかりの祐介には、それが面白くない。先輩面されるのも、他の男の話をされるのも許せなかった。

「自信なさそうな顔をしている人を採用してくれる会社なんてないと思うよ。やるからにはもっと自信を持たなきゃ」

「コネに頼るのもいいけど、自分の力だけで採用してもらえるところに挑戦してみればと？」

精一杯のアドバイスの中にも、どうしてもとげが混じってしまう。気まずいムードが流れる。最後はいつも彼女のこのセリフだった。

「まだわからないわよね。来年わかるわ、きっと」

この一言がどれだけ祐介のプライドを傷つけたか、彼女はどこまでわかっていただろうか。

結局、その彼女とは祐介が四年生になったゴールデンウィークに別れてしまった。彼女の新しい彼は、彼女が入社した会社の先輩で、就職活動のときからよくしてもらった人らしい。かなり高級な外車に乗っているやつだと彼女の友達から聞いた。

「やっぱり何だかんだ言っても、車を持ってる彼氏のほうがいいんだよ、女にとっては」

祐介は負け惜しみのように、そう自分に言い聞かせた。

もちろん、それが原因で別れたわけではないのはわかっている。でも、車がないことを理由にしておけば、自分を正当化できるような気がした。

上京してきた貧乏学生だからこそ味わわなければならない悔しさを何度もかみしめては、「いつかは俺だって!」と思う。そのくり返しだった。

大学を卒業してからも、そういう悔しさは祐介について回った。

祐介の就職した会社は東京にある。

地方から出てきた学生には、故郷に戻って就職する者も多かったが、彼は東京に残る道を選んだ。自分の夢の実現のためにはそれが一番だと思ったからだ。

そうなると、家賃から光熱費、食費や生活費など、とにかくあらゆることを給料の中でやりくりしなければならない。加えて、大学時代にはもらう一方だった奨学金も、これからは返していかなければならない。給料がなかなか手元に残らなかったのは、そういう事情もあったからだ。


ところが祐介の会社では、同期のほとんどが自宅から通勤していた。当然、金銭的にも余裕があり、入社と同時に自分の好きなものを買ったり、新車を手に入れたりと、早速贅沢な暮らしを始めていた。

祐介の会社では誰もが入社と同時に車を買う。一種のブームというか、それが自然の流れになっていた。

もちろん、祐介はそういうわけにはいかない。

祐介は一人だけその波に乗ることができなかった。

それから四年。

祐介には同期入社の誰よりも必死で働いてきたという自負があったが、生活レベルは他の誰よりも低かった。

「同じ会社で働き、同じ金額の給料をもらっているのに、俺と彼らの暮らし向きは天と地ほどの開きがある。彼らは俺より給料が十万円多い人の暮らしをしているんだ」

彼はそう思っていた。事実、暮らし向きだけを比べればそうだっただろう。

どんなに彼が一生懸命働こうとも、他の人の二倍以上努力しようとも、いかに同期のやつらが怠けていようとも、彼らより毎月十万円以上多くもらうなんてことは到底ありえない。

実際、頑張れば頑張るだけ上がると思っていた給料も、この四年間、一生懸命働いている人もそうでない人も、毎年同じ金額ずつしか上がっていない。

会社の先輩たちは口々にこう言った。

「はじめの数年間はみんな同じなんだよ。差がついてくるのはそれからだから、頑張りな。

大丈夫。今までのおまえの頑張りはこれから必ず評価されるから」

祐介はその言葉を信じるしかなかった。それだけが祐介の心の支えだった。

そういうわけで、いつのまにか、かつて大学の友人に抱いていたのと同じ感情を会社の同僚に対しても持ち始めていた。

祐介は周囲が次々と立派な車を買うのを横目で見ながら、自分の欲を押し殺して、仕事に没頭してきた。大学時代から数えると足かけ八年間もそうやって頑張ってきたことになる。

そして、ようやく生活に余裕が生まれた。

だから、彼は決断した。そう、祐介は車を買うことに決めたのだ。

この八年間、ことあるごとに車を持てずに悔しい思いをしてきた祐介は、「もう少し我慢して、まずは貯金をして……」という気持ちにはどうしてもなれなかった。

そのほうがいいのはわかっていても、自分の欲をうまくコントロールできない。

それに、月々二万円程度を貯めたところで、どうなるものか。

それより、もっとたくさん稼げるようになってから、一気に貯めたほうが早い。


車を買って、彼らと同じスタートラインに立つんだ。

そこから俺の成功の人生の巻き返しが始まる。


いつの頃からか、祐介にとって成功者になるための第一歩は、自分の車を持つということになっていた。


社会人になってからつきあい始めた彼女とデートしているときも、祐介は自分の好きな車を見かけると立ち止まり、よくこう言った。

「俺、いつか成功してあの車に乗りたいんだ。いつか絶対に買うからね」

彼女は微笑みながら、決まってこう答えた。

「そう。じゃあそのときは、私を助手席に乗せて、いろんなところへ連れて行ってね」

それが実現したら、どんなに幸せだろう。

いつしか、車を買うことは彼女を幸せにすることでもあるという論理が祐介の中にインプットされていった。


ようやく車を持てるという喜び。

でもそれ以上に「本当にやっていけるのか」という不安。

これまでの人生で一番高価な買い物を前に、得体の知れない恐れが何度も祐介を襲った。

そのたびに祐介は、昔からずっと自分に言い聞かせている言葉をくり返した。

「俺は成功者になりたいんだ。欲しいものをすべて手に入れられる人生にするんだ。今まで何年も我慢を重ね、ようやく月々二〜三万円を出せるところまでやってきた。数年前の自分には実現できなかった車のある生活に手が届くところまでやってきたんじゃないか」

「迷ったらまず行動」が祐介の信条。

そこで彼は、車のディーラーに行ってみた。

店員の話を聞くうちに、車を手に入れるのは想像していたよりも簡単なことのように思えてきた。頭金がなくても、月々二〜三万円の支払いで思っていた以上にいい車が手に入るというのだ。彼がいつか乗りたいと思っていた車でさえ、五年もローンを組めば、もちろん中古車ではあるが買えることがわかった。

「大丈夫ですよ。みなさん、そうやって買っていますから。お客様の会社ならローンの審査も問題ありませんし。それより、早くお決めにならないと、三日と待たずに売れてしまいますよ。この車種のこの色はいつも、入ってきたらすぐに売れますからね。こんなに程度のいい車は、そう入ってきませんから」

そう言われると、いても立ってもいられなくなる。

いつのまにか、買うかどうかの問題は、どの車を買うかという問題に変わっていた。

多くの男性がそうであるように、祐介にとっても、車は単なる「移動するための箱」というわけではない。一種のステイタスシンボルだ。

どうせ乗るなら、人もうらやむようなかっこいい車に乗りたい。

ところが、そういう車は当然のことながら値段が高い。

祐介は心の中の天秤にいろいろなものを載せては、どの車を買うべきか、自問自答をくり返した。


「車なら何でもいいなら、月々一万五千円の二年ローンで買えるぞ」

「でも、あんな車じゃあ、せっかく貴重なお金を使って買うのに、成功の証どころか、みすぼらしい姿を人に見せているような気になってしまう。会社の後輩だってあんなボロい車に乗っているやつはいない」

「でも、俺が欲しい車を買うには、月々三万二千円の五年ローンが必要だ」

「三万二千円か。予算を少しオーバーしているけど、切りつめてできない範囲じゃない。今までだってそれ以上に切りつめて生活してきたわけだし……」

「それでも、五年間ずっと払い続けられるのか？」

「大丈夫だろう。みんなそうやって買っているんだし。それに、今まで以上に頑張って、稼ぎを増やしていけばいいんだ。はじめは大変かもしれないけど、年々払うのが楽になるさ。今までもそうやって給料が上がってきたし、これからだって頑張ればどんどん昇給するはずだ。うん、俺ならできる。やってみせる」

「彼女はどう思うだろう？　高い車を買ったら、とんでもない浪費家だと思われるかもしれない。この人にはついていけないと思われないか」

「でも、その逆もある。いつかは乗ると言っていた車に俺が乗る姿を見れば、彼女は俺のことを、有言実行の頼もしい男だと認めてくれるかもしれないぞ」


そんな問答を頭の中でくり返しながら、祐介は一つの答えが見つかるのを待った。

いや、本当はもうすでに決まっている。無理をしてでも自分の欲しい車が買いたいのだ。あとは、それを買う言い訳、理由が欲しいだけ。それは自分でもよくわかっている。考えられる限りの反対意見を自分で出しては、それを否定して買ったほうがいい理由を探す。そのくり返しの末、ようやく最後はこう決まった。

「よし、どうせ買うなら、欲しいものを買おう。給料も増えるだろうし。何より今、夢にまで見た成功者の暮らしに手が届こうとしている。そんなときに悩んで立ち止まってどうする。大きな成功を収めようと考えている人間が、たかだか百数十万円の買い物でビビっているようじゃあ先が思いやられる。しっかりしろ。自分の欲しいものを手に入れるというのは、一歩ずつ成功の階段を上っているってことじゃないか」

はたから見れば滑稽以外の何物でもないこの自問自答も、当の本人にしてみれば真剣そのもの。何しろ百数十万円もするものを買うのも、ローンを組むのも、このときが初めてだったのだから。

こうして、ようやく祐介は念願の車のある生活を手に入れた。

最初は何とも言えない充実感とちょっとした不安とが入り交じった感覚だったが、ほどなく不安のほうは一切なくなった。

いざ買ってしまうと、もうそこに車があるのが当たり前の生活が待っていた。

ローンもはじめの数ヵ月が過ぎ、払っていけるという確信が持てると、あんなに迷ったのが嘘のように、まったく心配しなくなった。

一歩踏み出す勇気を持てば、欲しいものを手に入れるのは案外簡単なことに驚いた。

彼女の反応も悪くはない。

「もっと安い車のほうがよかったんじゃないの？」

皮肉っぽく言いつつも、

「でも、この車、乗り心地がいいから好き。これからいろんなところに連れて行ってね」

とほめることも忘れなかった。

こうして祐介は、人生における一つの転機を迎えた。

小さな転機ではあったが、彼にとっては大きな意味を持っていた。

必要なものを手に入れるだけで精一杯だった生活から、欲しいものを手に入れることができる生活へ。

「俺も、ようやく車を持てるところまで来た。これからも、もっともっと成功して、どんどん自分の欲しいものを手に入れていってやる。ここからが俺のサクセスストーリーのはじまりだ」

祐介は決意を新たにした。

# お金を貯める

翌年も祐介の給料は順調に上がった。

大幅な昇給ではなかったが、不自由なく生活できる状態からさらに月々二万円ほど増えるだけで、だいぶ余裕ができるものだ。

同期ともらえる給料に差がないのは相変わらずだったが、自分の暮らし向きがよくなると、そういうこともあまり気にならなくなる。

祐介は余裕の出てきた分で、今までできなかったような買い物をするようになった。

彼女にブランドもののバッグを買ってあげたりもした。

学生の頃は「バッグに十万円！」とあきれて買う気すら起こらなかった彼も、「女にとってのバッグは男にとっての車のようなもの」というセリフをどこかで聞いてから、女性がそういうものを欲しがる気持ちもわかるようになった。

何より「彼女が喜ぶ顔を見るためなら」と思うと、多少高かろうが買ってあげたくなる。
そういうものにまったく理解を示さなかった祐介がブランド品を買う気になったのは、自分がそういう買い物をできるようになったことに対する喜びからだったのかもしれない。
彼女も「こんなのいらないのに」と言いながらも、とてもうれしそうだった。

ただ、そんな過ごし方も数カ月たつと、成功を謳歌しているのではなく、ただ浪費しているだけで、一向に夢に近づいていないということに気づいてくる。
これでは、成功者の真似をしているだけだ。

何不自由ない生活を手に入れたという意味では、確かに状況はよくなった。昔と比べれば大きな進歩だ。

でも、何かを始めるためのまとまった資金がない。

新しいことを考えるたびに彼の前に立ちはだかる「資金」という壁。

その壁は、昔と同じように、いや、それ以上に存在感を増して、彼の目の前にそびえ立っている。

そういった意味では、車も買えなかった数年前の自分と何ら状況は変わっていない。

もちろん、問題はそれだけではなかった。肝心の「何をやりたいのか」ということも、まだ決まっていない。

ただ、そんな「何か」が見つかったところで、祐介にはそれを実行に移せるだけの資金がない。だから「資金ができるまでに、絶対に儲かるシステムを考えておけばいい」としか考えていなかった。

「大きな成功を収めるための第一歩として、まずは資金が必要だ。そう、少なくとも一千万円は必要だろう。それで足りるかどうかはわからないが、少なくともそれくらいはなければ何もできない」

祐介はとりあえず目標を「一千万円」と定めて、貯蓄の計画を立ててみた。

「今の給料なら、毎月二万円ずつ貯めることができる。ということは、年間二十四万円。ボーナスからもそれぞれ八万円ずつくらいなら何とかなるだろう。となると、頑張って年間四十万円くらいか……」

祐介は言葉を失った。

そのペースで貯蓄を続けたところで、二十年かかってようやく八百万円が貯まる計算だ。一千万円なんて届きもしない。それどころか、中古の家を買うのにも二〜三千万円は必要だ。これでは会社を興すことはおろか、一生かかっても自分の家を持つことすらあやしい。

彼は気を取り直して、もう一度考えた。

「いや待て、今年は月に二万円しか貯められないけど、来年、再来年と収入は増えるはずだ。そうしたら、もしかしたら五年で一千万円も可能かもしれない」

再び電卓をたたいてみる。

「五年で一千万円だから、一年あたり二百万円貯めればいい。すると一ヵ月あたり……十六万円以上……」

考えれば考えるほど、現実離れした数字ばかりが浮かびあがる。

祐介はしばし呆然となったが、すぐに気を取り直し、この先どうなるかということはあまり考えず、とりあえず貯蓄を始めてみることにした。まったくないよりは、少しでもあったほうがましなのは間違いないのだ。それに、貯めていくうちに何かいい方法が見つかるかもしれない。

まったく貯蓄がない人が百万円貯めるよりも、百万円持っている人が二百万円貯めるほうがはるかに簡単だという話も聞いたことがある。

まずは何より一歩踏み出すことが大切だろう。

いざお金を貯め始めると、祐介はそれがまるで一つの趣味であるかのように没頭した。

今までお金を貯めたくても貯められなかった彼は、少しずつではあるが確実に増えていく通帳の数字を毎月眺めるのが楽しくてしかたなかった。

半年後、通帳に記帳してみると、そこには二十六万円という数字があった。半年で当初の予定より六万円多く貯まっている。思わず笑みがこぼれた。

「この調子でいくと、二年を待たずに百万円貯まるかも」

祐介は貯蓄の一つの通過点として、「百万円」という数字を心の中に抱くようになっていた。どうして百万円なのかというはっきりした理由はない。ただ漠然とその数字を一つの目安にしていた。

祐介が大学を卒業してから、六年が過ぎようとしていた。

七年目が始まり、その年も順調に給料が増えた。

「今年はもう少し多めに貯蓄に回すことができそうだ」

祐介はうれしかった。それまでの月々二万円を一気に倍の四万円に増やし、目標の百万円に向けて決意を新たにした。

貯蓄を始めて一年半。

ついに百万円の目標を達成した。

少なくとも二年はかかるだろうと思っていたのに、一年半で目標を達成できたという事実に、祐介は単純な驚きと、やればできるという自信を得た。

次の百万円はもっと短い時間で貯められるはずだ。

この経験は、祐介にとって大きな収穫だった。


肝心の「貯めたお金で何をするのか」という計画は、相変わらず決まっていない。何をやったら成功を手にできるかと絶えず考えてはいるのだが、なかなかこれというものが見つからない。

「お金持ちになれる方法を探すのは、なんて難しいんだ！」

祐介は考えるたびにそう感じた。


しかし実際のところ、それほど必死で何かを探しているというわけでもなかった。

貯蓄を続けているのは、何かをやりたいという熱意からというより、お金を貯めることそのものに対する楽しさからだった。銀行口座の数字が増えていくことが楽しくてしかたがなかったのだ。そう、このときは……。

ところが、祐介が車を持ち、百万円貯めるという二つの目標を達成した満足感は、長続きしなかった。

にわかに祐介の周囲が騒がしくなってきていた。

## 焦燥

以前ほど気にしなくはなったが、上京して一人暮らしをする祐介の生活は、相変わらず同期の生活レベルと比べると格段に見劣りするものだった。

彼らは実家に住み、祐介が払わなければならない家賃や食費の大半を車のローンや娯楽費に充てているのだから、当然といえば当然だろう。

中には、入社以来お金を貯め続け、八年目にして貯蓄額が一千万円以上あるという者も少なくなかった。彼らは祐介よりもはるかに贅沢な浪費生活を送ってきたにもかかわらず、はるかに多くの貯蓄があった。

唯一、祐介の自尊心を満足させてくれたことは、この七年間の頑張りが認められ、給料が他の同期より一万円ほど多くなったということ。他の連中は全員横一列で同じだったが、祐介だけが頭一つ出たのである。

七年間寝る間を惜しんで頑張ってきた結果としてはあまりにも小さな違いだが、祐介の自尊心を支える大きな一万円だった。

しかし、この自尊心を焦りと嫉妬に変えてしまうような出来事が、彼の周囲で起こり始めていた。

一つは後輩の存在である。

祐介は誰よりも頑張って働いた甲斐もあり、社内では一目置かれる存在だった。たくさんの後輩たちが彼のことを慕ってついてくる。彼らは口々に、

「俺も早く祐介さんのようになりたいです」

と言っては、必死で彼から仕事を学ぼうとした。

彼もまたそういう後輩たちをかわいがり、先輩として自分が教えられることはすべて、精一杯教えてやろうとした。

ここまでは、何の問題もない。

ところが、彼らの生活を見ると、祐介は何とも言えないやりきれなさを抑えることがで

きなかった。

後輩たちのほうが明らかにいい暮らしをしていたからだ。

彼らのほうが新しく高級な車に乗り、高価な洋服や靴を身につけ、自分の趣味や旅行にお金を使っている。にもかかわらず、祐介よりも多くの貯金を持っていた。

「上京して都会で生きていくと決めたのは自分だ。こうなるのははじめから承知の上だったはず。それがいやなら実家に帰ればよかったんだ。それをしなかったのはなぜか。

そう、人生において成功するためだ。

お金持ちになって、自分の好きなものを買って、幸せな人生を送りたい。

そのためには、田舎にいてもダメだ。そう思ったからじゃないか。

自分で決めたことなのに、ちょっとくらい思いどおりにいかないからって、状況を呪ってどうする！」

そういう事実を目にしたり、耳にしたりするたびに、毎回同じことを言って、自分を納得させなければならなかった。

彼の焦りを一層あおることになるさらなる動きが、同僚の中にも起こっていた。

彼らは少しずつ、人生の新しい段階へと進み始めていた。

結婚して、それまでの貯金を頭金にマンションを買い、実家を出る者。

それを真似して、独身ながらも自分のマンションを購入する者もいた。

彼らは一千万円以上をこの七年間で貯め、しかも親からもいくらか支援してもらい、それらを頭金として「自分の城」を購入していった。

祐介には到底手の届かない買い物だった。


また別の同僚は、自分で新しく会社を興した。

彼も資本金として一千万円を用意していた。

祐介は入社以来、その同僚と仲がよかった。二人は幾度となく将来の夢について語り合った。二人とも将来は自分で会社を興して成功したいという共通の夢を持っていた。

その友人がいよいよ行動に出たのだ。

職種はそれまでやっていたことと同じだから、知識もノウハウも問題ない。そればかりか、若い人間が新しくつくる会社だけに、古いアイデアにしばられない、斬新な発想をたくさん盛り込んだ経営方針が輝かしく感じられた。

その友人は、以前からかなりのアイデアマンだった。祐介は彼からさまざまなビジネスプランを聞かされるたびに、その才能に感心させられた。

「そのアイデアなら、絶対に成功する！」

そして、それが今、現実のものになろうとしている。

起業する際に、その友人は、一緒にやらないかと祐介を誘った。

祐介は首を縦に振ることができなかった。プライドが許さなかったからだ。

友人のプランはこうだ。

彼自身は代表取締役として会社の経営のことを考える。そうすると、その友人がつくる青写真を実行に移す優秀な人材、つまり実際に会社を運営する人間が必要になってくる。それを祐介にやってほしいというのだ。もちろん、祐介が今もらっているよりもはるかに多くの給料で。さらに、会社が成功して軌道に乗れば、給料も上げていくという。

このシステムは、いつかその友人と将来を語っていたときに、祐介が語ったシステムそのままだった。

「おまえの意見はそうじゃなかったはずだ！　自分は経営者ではあるが、第一線で一緒に働くような会社をつくりたいと言っていたじゃないか」

祐介は、腹わたが煮えくり返る思いだった。

二人がこの数年間、お互いの話で影響を与え合ったのは事実だ。かくいう祐介も心の中では、その友人のアイデアの多くを将来拝借しようと思っていた。しかし、それを先にやられてしまった。しかも、よりによって、自分が働かずに楽できると思って考えたプランの一番大事な部分、たとえるなら鵜飼いの「鵜」に当たる部分を、その発案者である祐介自身にやらせようというのだ。到底飲むことはできない。

結局、その友人は、彼らの後輩で会社の中でもまずまず優秀だと評判の若手を引き抜くことに成功し、その重要なポスト、「鵜」にその後輩を据えて起業することになった。

祐介は焦った。他人をうらやましいと思う日々が続いた。

そう思ってはいけない、思ってもしかたがないとわかってはいるのだが、考えないようにすればするほど、自分より一歩も二歩も先に行っている他人のことが頭から離れない。

彼がこの一年半の間に頑張って貯めてきた百万円という貯蓄も、友人たちの行動の前では、子供が貯金箱にお小遣いを貯めているのと変わらないちっぽけなもののような気がした。それで喜んでいた幼稚な自分に恥ずかしささえ感じた。

「百万円じゃ何もできない。何の役にも立たない」

それでも今の祐介には、それを続ける以外にできることはない。

これまでの無邪気さとは違った思いで、祐介は貯蓄を続ける決心をした。

祐介は心の中で誓っていた。悔しい思いをするたびに、くり返し、くり返し、自分に言い聞かせるように。

「俺は自他ともに認める成功者になるんだ。
自分の欲しいと思ったものをすべて手に入れたい。
お金持ちになりたい。
大きな家に住んで、海外に別荘を持って……。
その日まで頑張るんだ」

彼の顔から若者特有のエネルギーというか力強さのようなものが失われつつあることに、祐介自身は気がついていなかった。

# 第二の決断　結婚する

それからしばらくは淡々と貯蓄を続けていた祐介だったが、心の中には相変わらず分厚い雲のようなものが居座り続けていた。

「自分にはできる」という自信と、「本当にできるんだろうか」という不安が交互にやってきては、祐介を苦しめ続けた。

ある日、いつものように不安の波が押し寄せてきた。

「人生は心に強く思ったとおりになる、と何かの本で読んだことがある。だからこそ俺は豊かになって成功することを強く望んでいる。それなのに、一向に望んだものが近づいてこない。やっぱり成功者になることなんて無理なんだろうか……」

そうやって自信をなくしたときにやることは、いつも同じだった。心の中で自問自答をくり返す。そうすることで、自分の本当に欲しいものを強く意識し直す。

その日も祐介はそうしようとした。


「本当に誰よりも成功したいか？」

「したい」

「本当に金持ちになりたいか？」

「なりたい」

「どうして俺は金持ちになりたいのか？」

「そりゃあ、自分の好きなものを好きなときに買えるし、何よりお金の苦労をして生きていくのはいやだ。今までさんざん苦労してきた。もちろんお金がすべてでないのはわかる。でも、世の中の多くの夫婦喧嘩はお金が原因だったりするし、人間関係のもつれの多くもお金がからんでいる。お金がすべてではないが、あればしなくてすむ苦労がたくさんある。

確かに学生時代に比べると暮らし向きははるかによくなった。でも同年代のやつらはおろか、自分より若い連中まで、どんどん自分より裕福な暮らしをしている。やつらのほうがずいぶん先を走っている。起業したり、結婚してマンションを買って幸せな家庭を築き始めたやつもいる……」

そこまで考えたとき、いつもなら気にとめることもなかった「幸せな家庭」という言葉が、なぜか心に引っかかった。

祐介はしばらく考え込んでいたが、やがてさっきの答えにこうつけ加えた。

「もちろん自分の欲しいものを欲しいだけ買いたいというのはある。でも、自分の両親や兄弟にも同じような思いをさせてやりたい。自分が遊んで暮らせるほどの金持ちになったら、家族にも幸せな思いを分けてあげたい。これも偽らざる俺の本心だ」

そう、その気持ちは確かにある。嘘ではない。ところが今は自分すら幸せにしていない。ましてや誰かを幸せにすることなんて……。

彼の頭には入社二年目からつきあっている彼女のことが浮かんでいた。つきあい始めてから、もう六年になる。

「結婚するならこの人と……」

という思いはお互いにある。

その思いにお互いが気づいていながらも、結婚の話をするのは暗黙のうちに避けてきた。

「お金持ちになってからプロポーズをしよう。彼女には苦労をさせたくない」

これが彼女に対する彼なりの優しさだった。

口にしたことはなかったが、その思いはきっと彼女にも伝わっているだろう。

ところが、肝心のお金持ちには当分の間なれそうもない。

そうこうしているうちに彼女も自分と一緒に年を重ねている。祐介のいうお金持ちになるのを待っていては、いくつになってしまうかわからない。

祐介は自分が幸せにできる人、彼に幸せにしてもらうことを心から待ち望んでいる人に目を向け始めた。

「俺にも人を幸せにすることができるかもしれない……」

彼女との結婚を真剣に考え始めるのは、それほど難しいことではなかった。

自分の中にある幸せの定義をちょっと変えてやるだけでよかった。


「確かに俺は人生において成功したいと考えている。その思いは今でも変わらない。

そのためには自分の欲しいものを一つひとつ手に入れていくしかない。

そうやって一歩ずつ前進していけば、必ず最後は欲しいものすべてが手に入っているはずだ。

最終的にすべてが手に入っていればいいわけだから、先にすべてを手に入れてからじゃなきゃ結婚してはいけないと考える必要はないのかもしれない。

むしろ、自分の欲しいものを手に入れる前に、やるべきことがあるだろう。

目の前にいる自分の好きな人ひとりを幸せにできないで、何が成功者だ。

彼女と結婚して、幸せな生活を営む。これも一つの大きな幸せじゃないか。立派な達成すべき目標だといえるじゃないか！」

そう考え始めると行動は早いのが祐介の性分だ。車を買ったときのように、もうプロポーズをするかしないかの問題ではなくなっていた。

「どんなプロポーズにしよう？」

それを考えるとき、祐介は今までの人生では味わうことのなかったうれしさを感じていた。

祐介はプロポーズをした。

場所は初めてのデートで行ったレストラン。

店の人にもあらかじめ事情を打ち明け、ちょっと協力してもらってプロポーズを演出した。彼女はうれし涙を流しながら、

「よろしくお願いします」

と、差し出した婚約指輪を受け取ってくれた。

店内には割れんばかりの祝福の拍手や指笛が鳴り響いた。

プロポーズの数日前、婚約指輪を買うために、祐介は貯めていたお金から五十万円を使った。当初はその半分くらいで、と考えていたのだが、店員と話をすればするほど、どうせ買うならダイヤモンドがちょっとでも大きいもの、より透明度の高いものがいいと思うようになっていった。

さらに、「婚約指輪は給料の三カ月分」というお決まりのフレーズ。

そんなものは関係ないと思っていたのだが、はじめに考えていた予算では愛情というか、決意というか、そういうものが足りていないような気がして、ちょっとした罪悪感に見舞われた。

「一生に一度のものですし、少しでも美しいほうが喜ばれますよ」

そう店員に言われると、多少高くても、妻になる彼女のために買ってあげてもいいかなと思えた。むしろ、そこで出し惜しんではいけないという気にすらなった。

「じゃあ、これにします」

そう決めてから店員が箱に入れて持ってきてくれるまでの間、祐介は大金を使った理由を自分に対して説明していた。

「貯蓄なんてしたことがなかった頃は、五十万円を貯めるのはとてつもなく大変なことのように感じられたけど、一度百万円を貯めると、百万ならまた簡単に貯められることがわかった。なあに、この五十万もすぐにまた貯められるさ。今の状況なら半年もあれば十分だ。何より愛する人に喜んでもらえるのなら、全然高い買い物じゃない。それに、お金は使うために貯めているんだ。ということは、他に使い道が決まっていない今、これに使うのが一番いいってことだ」

祐介の第二の人生が始まろうとしていた。

# 家族を養う

プロポーズがうまくいくと、その後は新しい生活の準備で急に忙しくなった。

二人は最初、身内だけで小さな結婚式を挙げたいと考えていたが、彼女の両親の希望を無視するわけにもいかず、相談の末、自分たちのやりたいようにではなく、彼らの両親が望むような式にしようと決めた。

大きな結婚式をしようと思うと、それだけ費用がかかるものだが、何とかなるらしい。出席してくれる人たちからもらうご祝儀で、結局出ていく額ともらう額はほとんど同じになると式場の担当者が言っていた。

二人は挙式のために三百万円を用意した。

式はすばらしいものになった。

二人で貯めた三百万円はすべて使ってしまったが、多くの人からお祝いをもらい、計ったようにちょうど三百万円戻ってきた。不思議なものである。

その後、新婚旅行に行き、二人で住むアパートを借り、必要な家具を買ったりもしたので、その三百万円も半分以下になってしまったが。

それでも彼は幸せだった。

彼女は結婚後も会社を辞めずに働き続けていたので、毎月二人であわせて十五万円以上を貯金に回すことができるようになった。今までにないペースで貯蓄が増えていくのは、うれしくてたまらない。

「こんなに早く貯金が増えるなんて、どうしてもっと早くこうしなかったんだろう」

新婚生活の幸せと相まって、祐介はこれまでの人生で最高の瞬間を迎えていた。

幸せな日々はあっという間に過ぎ去っていく。

やがて、結婚して一年が過ぎた。

一時は半分以下にまで落ち込んだ彼らの貯蓄も三百万円に戻っていた。


そんな折、祐介の人生にもう一つの転機が訪れた。


ある日の夕食中、妻がこれまで見たこともないような笑顔で、こう告げた。

「ねぇ、できたかもしれない」

「えっ、何が？」

こういうとき、男は意外と敏感なものである。

でも、わかっているくせに、つい「何が？」と聞いてしまう。


「赤ちゃん！」

祐介は三十二、妻は三十一歳になっていた。

妻の年齢を考えると、そろそろ子供を……と思っていた矢先の出来事だった。

「俺、パパだね」

「まだ半年以上先の話でしょ」

気が早いのは相変わらずだった。


彼女は妊娠がわかってからも仕事を続けた。

子供が生まれる前にできるだけお金を貯めておきたいと考えていたのは、祐介よりも彼女のほうだったかもしれない。

日に日に大きくなるおなかとつきあいながら、ギリギリまで仕事をした結果、彼女が仕事を辞める頃には四百万円近くの蓄えができていた。


まもなく子供が生まれた。

元気な男の子だった。

出産の費用や、必要なものを買いそろえるのに結構お金がかかったが、彼らは生まれたばかりの新しい家族のために惜しみなく貯金を使った。

家族が一人増えた新しい生活は、祐介にとってこの上なく幸せなものだった。

ただ、収入源は祐介一人となり、金銭的には苦しくなった。もちろん貯蓄も今までのようにはできない。

唯一の救いは、五年にわたって払い続けてきた車のローンが終わったことだった。

「五年は思ったより長かった」

それが、ローンが終わったときの祐介の率直な感想だった。

買った当初はきれいだった車も、今ではボロボロ。あまりに故障が多いので、

「新しく買ったほうが安くつくかもしれない」

と思ったりもしたが、口には出さなかった。

収入源が減って、子供も生まれ、これから何かとお金がかかるかもしれないと、妻が不

安になっているのがよくわかっていたからだ。

祐介は子供の誕生をきっかけに、それまで以上に必死で働き始めた。その頑張りに比例して、社内での地位も給料も、年々順調に上がっていった。それと引き換えに子供と会える時間はほとんどなくなってしまったが、それでも、子供のために働いているんだと自分に言い聞かせているときは、妙に力がわいてきた。

---

数年後、もう一人子供が生まれた。

二人目の誕生をきっかけに、祐介は車を買い換えることにした。もちろん胸の奥で以前のような葛藤もあったが、今回はあっさりと心が決まった。彼は家族四人が普通に乗れる、安めのファミリータイプの中古車を買った。

家族構成が変わるにつれて、生活様式も変わっていく。

家族が四人になると、今まで住んでいたアパートでは手狭に感じるようになった。とりわけ二人の子供が成長するにつれて、そう感じることが増えていった。

# 第三の決断　マンションを買う

祐介はその後も仕事に没頭し、出世し続けた。

順調に収入を増やし、貯蓄も六百万円になった。

当初目標としていた一千万円まではいかなかったが、六百万円もあれば、小さな会社ぐらいなら始めることもできる。

自分の年齢のこと、子供たちの学費などでこれからますますお金が必要になることを考えると、行動を起こすタイミングは今しかないという焦りが常に祐介の中にあった。

「使うとしたら今しかない。この六百万円を使って行動を起こすんだ。でも……いったい何をしよう？」

使うといっても、祐介の一存で決めるわけにもいかない。

この数年間頑張ってきたのは、祐介一人じゃない。日々の生活を何とかやりくりし、涙ぐましい努力で月々の貯蓄額をしっかり増やしてきたのは妻だった。祐介もそのことをよくわかっていた。

彼女が貯蓄に励んできた一番の目的は、家を買うことだった。そのために、電気代や水道代にまで気を遣い、一円でも多く貯金をできるよう節約してきた。

「何年払っても自分のものにならないものに収入の大半をとられるくらいなら、月々の支払いが多少高くなっても、自分のものになるものに払い続けるほうがいいじゃない」

近所の奥さんたちが自分の家を買って引っ越していくとき、そう言い残していく。それを聞くたびに、自分も早く家を買いたいという思いを強くするらしい。

妻にしてみれば当然だろう。

毎月の給料から、数百円でも多く残すためにあらゆる手を尽くして節約しているのに、家賃ときたら毎月きっちり、容赦なく十万円以上を奪っていく。

そういう生活をもう何年も続けてきた。

祐介にもよくわかる。学生時代、家賃を振り込むたびに、

「これを払わなくてよければ、どんなに生活が楽だろう」
と思わずにはいられなかったのだから。

祐介だって、一日も早く自分の家を持ちたかった。若い頃からの夢の中に、当然のことながら、自分の家を持つというのも入っている。

成功の階段を一段ずつ上っていけば、最終的には自分の欲しいもののすべてが手に入っているはずなのだ。

ということは、その過程で必ず「マイホーム」が視野に入ってくるときがやってくるはずだ。

祐介はこれまでずっと、成功者になってから、立派な家を買うという順番をイメージしていた。しかし、自分の年齢や今の自分の状況を考えると、果たして本当に欲しいものすべてを手に入れることができるかどうか、正直、自信がなくなっている。

「もしかしたら、先に自分の家を手に入れたほうが、後悔せずにすむのかもしれない……」

祐介は迷っていた。


ちょうどその頃、独立して会社を興した例の友人の噂を耳にした。

その噂が、祐介の迷いにさらなる追い打ちをかけた。


起業する前は、聞けば聞くほどいいアイデアで、大成功が約束されているように思えたその会社は、いざ、ふたを開けてみると、そのほとんどがうまく機能しなかった。

かつて絶対にうまくいくと太鼓判を押した賛成者たちも、手のひらを返したようにまったく違う批評を始めた。

「だから言ったんだよ。やめたほうがいいって」

あれほど成功を断言したやつらが、どの面下げてそう言えるのか。さも失敗を予想していたかのように話すさまは、祐介が思っていた以上に露骨で、他人事ながら腹が立った。

「挑戦しないやつに限って、他人の失敗を笑い、自分のほうが偉いと言いたがる」

結局その友人は、はじめの二ヵ月で用意した一千万円を使い果たし、従業員に給料を出すことすらできなくなってしまった。

給料が支払われず、会社の状態も一向によくなる気配がないとなると、優秀な人材はあっという間に見切りをつけて去っていく。結局、何から何までその友人一人でやらねばならなくなった。

彼は顧客獲得のために、昼も夜もなく働き続けたらしい。彼の考える理想の経営は、あっという間に方針転換を迫られた。

それから数年たつが、相変わらずその友人は必死で仕事を続けている。

昔はスマートさが売りだった彼が、ひたすら頭を下げ、靴をすり減らして、馬車馬のように働いている。

明日は生きていけないかもしれないという不安を取り除く唯一の方法が、ひたすら働くことなのだろう。

とても他人事とは思えなかった。

祐介はまるで自らの経験のように、恐怖がインプットされるのを感じた。

||||||||||||||||||||||||||||||||||||||

「自分で会社を興すとしたら、何をしよう？」

相変わらずこの問いが常に頭の片隅に引っかかっている。

しかし、会社を興すというのは具体的に考えれば考えるほど難しく、そして金のかかるものだ。

「あいつは自分が指揮を執り、他の人が働いて会社を運営していく計画を立てていたが、実際にはそんな日が一日もないまま、気の毒なほど、身を粉にして働いている。それでも貧乏生活を抜け出せない。

確かに一千万円あれば小さな会社の一つくらい興すことはできるが、それでもゼロから始めるとなると、それほど多い蓄えとはいえない。事務所を開き、三〜四人従業員を雇うとなると、ランニングコストだけでも毎月二百万円はかかるだろう。

人材だって誰でもいいってわけじゃない。会社を成功させるには、いい人材を確保しないと。そのためにはそれなりの給料を払わなければいけない。

事務所を借りるときの保証金もいる。相場は家賃の十カ月分。交渉次第で安くなるとはいえ、六カ月分は必要だろう。内装費だってかかる。そうやって周到な準備をしたところで、うまくいくかどうかはやってみなければわからない……」

いざ自分が経営者として会社を始めようと考えたときに直面する壁は、いつも同じだ。彼がコツコツと何年もかけて貯めてきたお金も、従業員を数人雇うとなれば、数百万円単位でなくなってしまう。会社が儲かろうが儲かるまいが、給料は払わなければならない。

そう考えると、よほど周到な計画のもと、起業と同時に儲かるビジネスを始めなければ、それこそ友人のように二〜三カ月ですべてを失ってしまう。

祐介は会社を興すことに対して、ますます慎重になっていった。

「新しく興した会社のうち、五年後に残っているのは十社のうち一社しかない。そのまた五年後にも残っているのは、はじめの五年を生き残った十社のうち一社しかない。それくらい、起業することよりも成功を維持することのほうが難しい」

独身時代、祐介はその友人と将来の夢について話しているとき、そんな話を聞いたことを思い出した。

当時、自分は絶対に成功する側の一人になる自信があった。そんなデータを耳にしても、五年後に生き残る一社とはまさに自分のつくる会社のことのように思えた。自分ではない誰かが残りの九社の役割を担ってくれるはずだ。無邪気にそう考えていた。

ところが今では、この話も彼を慎重にさせる要因になっている。祐介と同じように考えていた友人は、今にも失敗する九人の仲間入りをしそうだった。

「俺の手元には六百万円しかない。これでは会社を興した瞬間から儲かるビジネスでなければ、一カ月ももたずにつぶれてしまうだろう。よほどしっかりした、絶対に成功するビジネスを考えなければ。今まで誰も考えたことのない、世の中の誰もがお金を払いたくなるようなすばらしいアイデアを……」

彼はいつのまにか、失敗する側の九人の中の一人になることを恐れていた。

今はあの頃のように独りではない。家族のことを考えると、とにかく失敗するわけにはいかない。

「少ない資金で始められて、すぐに大きな利益が期待できて、絶対に失敗しないもので、何より、それなら大丈夫と妻も賛成してくれるものでなければ……」

こうなってしまうと、アイデア一つ出すのもひと苦労だった。

⁝⁝⁝⁝⁝⁝⁝⁝⁝⁝⁝⁝⁝⁝⁝⁝

それでも祐介は、成功者になることをあきらめてはいなかった。

すばらしいアイデアさえ見つかれば、自分は金持ちになり、十代の頃から持ち続けてきた夢を実現することができるのだ。その夢を持って生きてきたからこそ、誰よりも頑張ろうという気持ちを維持して仕事を続けることができた。

それに、彼の成功には家族の生活がかかっている。

ときどき、思わず小躍りしたくなるほどすばらしいアイデアが浮かぶこともあった。

そんなときは、夜中だろうが何だろうがベッドから飛び起き、何かにとりつかれたかのように、ネットであれこれ調べたり、関連する本や雑誌を読んだりして、真新しいノートにビジネスプランをまとめていった。

電卓をたたいては何度も計算し、プランを考えていくうちに、どう見積もっても結構儲かるような気がしてくる。さらに考えを詰めていくと、それは確信に変わっていく。次から次へとうまくいく理由が浮かんでくる。

誰も挑戦したことのないような画期的なビジネスプランに、夜も眠れないほど胸が高鳴る。自然と笑みがこぼれて、一人でニヤニヤしてしまう。

何度もくり返し考えて、これは絶対にいけると確信したところで、最後の仕上げ。

妻との話し合いだ。

彼女の承諾がなければ、二人の貯蓄を使うことはできない。起業したらビジネスパートナーにもなる彼女に賛成してもらえるかどうかが最後の関門だ。

「なぁ、また新しいビジネスプランが浮かんだんだ。聞いてくれ。これは絶対にうまくいくぞ」

ところが妻の返事は、一度の例外もなく、いつも同じだった。

「会社をつくって大儲けをすることがそんなに簡単だったら、誰も苦労しないって。そんなの、すべてがトントン拍子でうまくいったらこうなるという予想でしかないわよ。途中で一つでもつまずいたら、会社を続ける余力はないでしょ。途中どころか、はじめの一歩目でつまずくことだってあるのよ。あなたのお友達みたいに。

それに、主婦はそんなものにお金を払わないわよ。主婦が払わないってことは、その会社はうまくいかないってことよ。家計を握っているのは主婦なんだから」

彼女はいつも、祐介が考えもしなかった鋭い観点から彼の計画の弱点を突いてきた。

何しろ彼女には実績がある。例の友人の会社がうまくいかないと、はじめから主張していたのは、祐介の知る限り彼女だけだったのだ。

「そうかなぁ」

彼は自分の部屋に戻り、計画をしたためたノートを何度も見直しながら、自分の考えたビジネスを実際に始めたらどうなるのかを、妻の視点に立って考え直した。今度は、一番うまくいかない場合はどうなるかを考えながら。

うまくいかない理由を考え始めると、祐介はどんどん力をなくしていった。情熱は消え、表情はみるみる輝きを失っていく。

そしてほどなく、なるほど、このアイデアではうまくいかないと考えるようになる。


祐介はそういうことを何度もくり返していた。


一方で、妻の考えは、祐介が予想していたものとは違っていた。

彼女が自分たちの家を買うために節約し、頑張ってきたのは事実だ。でも彼女は、一家の大黒柱である祐介の気持ちを無視してまで家を買おうとは思っていなかった。

祐介がどうしても会社を興したいというのなら、貯蓄をすべて使うのもしかたがないことだし、それによって苦しい生活を強いられても二人で何とか支え合っていこうと、結婚してからずっと心のどこかで覚悟を決めていた。

ところが、彼の持ってくるアイデアはどれも、彼女にとってはその場の思いつきで言っているのではないかと疑いたくなるものばかりだった。その証拠に、一度反対すると、祐介は二度と同じものをやりたいとは言ってこない。次に言ってくるときは、まったく別のビジネスプランを持ってくるのだ。

「なぁ、また新しいビジネスプランが浮かんだんだ。聞いてくれ。これは絶対にうまくいくぞ」

というセリフを合図に。

業種や職種、規模の違いこそあれ、彼の持ってくるアイデアは、どれも一攫千金のギャンブルに聞こえてならなかった。

彼女は、祐介が本当にやりたいことに対してお金を使いたいと言い始めるのを待っていた。

思いつきのギャンブルに今まで苦労して貯めたお金をつぎ込むわけにはいかない。だからこそ、彼がビジネスプランを持ってきたときには、ダメそうだと思うことを遠慮しないで言うと決めていた。

さらには、彼の意志を確認するためにも、どんなにいいと感じるアイデアであっても、とりあえずは反対してみることにしていた。

「本当にやりたいことなら何を言われてもやるだろうし、そうであれば、自分の選んだ夫だから信じてついていこう」

けれども、何度反対しても、祐介の口から改善案が出てくることはなかった。

その代わり、またしばらくたつと、

「あのさぁ、新しいビジネスを考えたんだけど……」

と別のギャンブル案が出てくる。

彼女はそのことにちょっとした寂しさを感じていた。

心の中では、夫に「人生を賭けてもいい」と思えるほど情熱を傾けられるものを見つけてほしいと期待している。自分もその実現のために役に立てれば、どれだけ素敵な夫婦になれるだろう。

でも、彼が独立して会社を興すというのがギャンブルである限り、今の会社にとどまって決まった給料を持って帰ってくれるほうが安全だ。

「一度反対されたくらいで、どうしてすぐあきらめちゃうの?」

何度もその言葉が口から出かかった。


彼女は、彼がどうしてもやりたいことを見つけるまで、そして何度反対されてもその話を彼女に持ちかける熱意を見せてくれるまでは、必死で節約して貯めてきたそのお金を「ハイ」と手渡すつもりはなかった。

そして、そういう日が来るまでは、彼女が何のためにお金を貯めているのかという理由があったほうが都合がいいので「家を買いたい」という立場でいることにした。

彼女にしてみれば、それだけの理由だった。

祐介は決断しなければならなかった。

そして、六百万円の使い道を決めた。


これまでの人生で一番大きな買い物をする決心だった。

これを人生で一番大きな買い物にしてはいけないと自分に言い聞かせながら、祐介は自分を納得させるための言い訳を考え続けた。


「俺は人生において成功したいと心から願っている。

お金持ちになって、自分の欲しいものを欲しいときに買えるようになりたい。家族にも不自由させない。とにかく成功者になりたいんだ。

ところが今、俺が手にしているのは、車とちょっとばかりの貯金だけ。決して貧しいわけではないが、好きなものも我慢しなければならない毎日。

とにかく、今より一歩でもいいから理想に近づけなければならない。

俺がいつか思い描いているような成功を収めるとしたら、その通過点で必ず自分の家を持つはずだ。だとしたら、早めにそれを通過するのは悪いことではないだろう。

そうだ、マンションを買うというのは、自分の理想に一歩近づくことになる。何しろ不動産という財産を手に入れるんだから。

それに、これは妻と子供たちの願いでもある。彼女は自分の持ち家が欲しい一心で、これまで文句も言わず節約に節約を重ねて俺についてきてくれた。子供たちにとっても快適な学習環境は必要だ。それに月々の支払いは今払っている家賃とほとんど変わらない。

買わなければ何十年たっても自分のものにならないのに、同じ額だけとられるんだ。絶対に買ったほうがいいじゃないか。それも早く。できるだけ早く。

その資産があれば、それを担保に銀行からお金を借りることもできる。そうなれば、会社を興すためのすばらしいアイデアが浮かんだときにも、銀行から金を借りやすくなる。

初めて車を買ったときもさんざん悩んだが、買ってみると何とかなった。

結婚もしてみると、そのほうがお金が貯まった。

結局いつも悩んだけれど、一歩踏み出してみると、結果はよくなった。今回も一歩踏み出してみれば、案外そっちのほうがよかったと思えるんじゃないだろうか。

それに、まさに今このタイミングで、会社を興したあの友人の噂を耳にするというのは、偶然とは思えない。何かのお告げじゃないけれども、『今はやめておけ』と俺に教えてくれているのかもしれない」

祐介は頭の中で何度もそうくり返したが、「成功に近づく」という言葉とは裏腹に、何か得体の知れない不安と重荷を感じていた。何しろ買おうとしているものの値段が非常に高く、ローンの返済年数もとてつもなく長い。払い終わる頃には六十歳を優に超えてしまう。六十歳の自分がどうなっているのかなんて想像もつかない。

これで人生が終わってしまうのではないかという漠然とした不安が彼を襲った。

それでも彼は、今まで二人で貯めてきたお金を頭金にしてマンションを買った。

「これは成功者になるために避けては通れない道だ。今までの家賃と同額で、自分の財産になるんだから、一歩前進じゃないか」

そう何度も、そして強く自分に言い聞かせながら。

妻は、夢が叶ってうれしそうだった。

一方、祐介は、自分の城とでもいうべき家を手に入れた割には、達成感とか充実感を感じることができなかった。むしろ何とも言えない不安や重荷を背負っているという感覚が心の中に残ったままだった。

これから三十年近く続いていくローンに対する不安だろうか。それとも、今まで貯めた貯蓄がなくなったせいだろうか。祐介はその不安のもとが何なのかよくわからなかった。

妻は祐介がマンションを買うと言い出したのを事実上の夢放棄宣言ととらえて少し切なくなったが、だからといって、何かをやるよう背中を押す勇気は彼女にもなかった。結局、努めて明るく振る舞って、気持ちを切り替えるしかなかった。

ーーーーー

ローンを払っていくうちに、祐介はマンションを買う前には考えなかったさまざまなことを思い出し始めた。

以前は心のどこかに、家賃なんて払えなくなれば、いつでもボロアパートに引っ越してしまえばいい、生活レベルを下げればいい、という思いがあった。

とても単純だった。

その単純さゆえに、さまざまなことに挑戦できる位置にいられた。

ところが今は、そうはいかなかった。

ローンが払えなくなったら、このマンションは即自分の財産ではなくなってしまう。そう考えると、今後の人生でこうなってはダメだということばかりがわいて出てきた。

「今の会社が傾いたらダメ」

「会社は傾かなくても、自分の給料が下がったらダメ」

「世の中が不景気になったらダメ」

「自分が病気になったらダメ」

「家族の誰かが病気になってもダメ」

「人生、何があっても生きてゆけるさ」

という自信は、いつのまにか、

「向こう三十年間、何かが起きたらどうしよう」

と自分でも驚くほど弱気なものに変わってしまっていた。

「マンションは自分のものなんて言うが、ローンを払っているうちは自分のものなんかじゃない。今後三十年間、少しでも状況が悪くなったら手放さなければならないんだ。自分のものだなんて思えない。

こんな当たり前のことにどうして気づかなかったんだろう。これじゃあ、このマンションは銀行のものだ」

買う前は、マンション＝財産だと思っていた。世間でもそう言われていたし、それを疑ったことはなかった。しかし購入後は、毎月決まった額を自分の生活から奪っていくこいつを、たとえ権利は自分のものであったとしても、単なる借金としか思えなくなっていた。

祐介もすでに三十代後半になっていた。

彼が成功者になることを夢見て東京に出てきてから、二十年がたとうとしていた。

# 後悔

マンションのベランダで、祐介はタバコを取り出して火をつけた。

いつもなら風が強くて何度もライターをこするのだが、今日はめずらしく風がない。こんなに心地よい休日は久しぶりだ。

ベランダからは、たくさんの屋根が見える。多くの家が窓を開けている。布団を干す人、家の中の掃除をする人、テレビを見ている人も見える。

マンションの西側にある川の土手には、ランニングをする人や、犬の散歩をする人が絶えない。川の向こうにはこちらを向いて建っている別のマンションがあり、ベランダにひじをついてタバコを吸っている人が二人ほど見えた。

「向こうから見ると、俺も同じように見えているのかなぁ」

どうでもいいことを一瞬考えたが、だからどうという感情は起こらなかった。

こうしてここでタバコを吸うことが祐介の習慣になっていた。そして、物思いにふける。何も考えずにただ空を見ていることもあった。

このマンションに住み始めてから十年がたとうとしていた。

この十年間で、祐介を取り巻く状況は少しずつ変わっていった。祐介は、自分だけはその中で何も変わっていないと思っていたが、実際には住んでいる場所や勤めている会社が変わっていないだけで、内面的にはすっかり別人に変わってしまっていた。

マンションを買ってから、祐介は何かにしばられるように働くようになった。この十年間は何事もなくローンを払い続けてきた。少しでも早く完済するために、昇給にともなってローンの組み替えも行った。

「あと十五年か……」

おそらく妻も子供たちも、この大きな建物の一室を自分の家だと思って疑っていないだろう。しかし、祐介はとてもそんなふうに考えることはできなかった。中身は自分のもので満たされているとはいえ、いざローンを払えなくなったら自分のものではなくなるこの部屋を、自分の所有物ということなどできない。

そして、そうなるかもしれないという恐れが祐介の中にはあった。


祐介は、給料を前年以上に上げるためにがむしゃらに働いてきたし、毎年それを実現してきた。その結果、この十年間も、会社での地位は毎年少しずつ上がっていった。

つまり、自分が思い描いていた成功の階段を確実に一歩ずつ上がってきたことになる。

でもその割には、とても幸せな毎日を送っているようには感じられない。


若い頃、給料が少なくて、とにかくたくさんもらえるようになりたいと頑張っていた頃は、自分よりずっと年上で自分の二倍以上もの給料をもらっている上司たちの覇気のない顔を見ては、

「あんな覇気のない人間に高給を与えるより、俺たち若者に与えたほうが何倍もいい仕事をするのに」
「俺はあんな大人にはならない」
と苦々しく思っていた。けれども今では、あの頃の上司の気持ちがわかるような気がした。

祐介と同年代の人間は会社にほとんどいなくなっていた。気がつくと、彼は社内でも年長の部類に入っている。

確かに給料はいい。しかし住宅ローン、新しく購入した車のローン、受験を控えた子供たちの教育費、習い事、そして月々の生活費。それら出て行くお金を考えると、決して余裕のある生活とはいえなかった。むしろ、収入が少しでも減ってしまうと生活そのものが狂ってしまうほど、収入と支出のバランスはギリギリのところで釣り合っていた。数年前から妻もパートに出ているのにこの有様だ。

思えば、昔からずっとそうだ。その状況が変わったことは一度もない。

一カ月の給料が二十万円の頃は、ひと月に二十万円出ていった。

その頃は、

「月に四十万円くらい入ってくれば余裕ができるのに……」

と考えていた。

でも、実際に給料が四十万円になったときには、計ったように四十万円すべてが出ていった。一度大きくなった支出を減らすのはとても困難なことだった。さまざまなローンもある。

だから、こう考えるようになった。

「月に六十万円くらい入ってくれば余裕ができるのに……」

いつも考えていることは同じだった。


ところが、生活レベルを上げるための唯一の手段だった「昇給」も、ここへ来て限界になってきた。

それどころか、減給されて退職を促される可能性は年々高くなる一方だ。事実、そうして何人もの仲間が会社を去っていった。

「今度は俺の番かもしれない。そうなると、今と同じ給料で働ける会社を探さねばならないが……。この年では無理だろう」

今の給料が少ないわけではない。問題なのは、生活していくのに、入ってくる給料と同じだけの金が必要なことだ。でも、それを変えることもできそうにない。

「しかたがないが、もし給料が下がっても、この会社で一～二年は我慢しよう。その間に次の手を考え出さなければ」

若い人がうらやむほどの給料をもらっている割には悲観的だが、そんな心配をしなければならないような出来事が会社の中では起きていた。

この数年間、彼の会社は着々と新しい体制に移行しようとしていた。

会社だって、十年も同じシステムで動かすと、はじめはどんなに目新しく見えたことも古くなる。そこで当然、変革を迫られる。他社に負けないように、新しいシステムへと変わっていくのだ。そうしなければ会社がつぶれてしまう。会社とはそういうものであるということは祐介もよくわかっている。

過去のそのような変わり目ごとに、祐介は重要なポストに抜擢され、出世してきた。ところが、彼が入社してから三度目となる今回の大改革において、彼はその中心メンバーに入ることができなかった。

決してポストが重要でなくなったわけではない。前回と同じだっただけだ。しかし、それは祐介を不安にさせた。


何より、今回の改革の中心は社長交代だった。

現社長が第一線を退き、息子にその職をゆずるという。


祐介と社長とは、長いつきあいだった。よく社長宅へもお邪魔した。そこで、まだ中学生だった社長の息子に会ったこともある。祐介たちが食事をしながら会社の将来について熱く語り合っている横で、まだ若い次期社長はわれ関せずとでもいうように、床に座ってテレビゲームをしていた。

その若者が、新社長として会社を新しい独自のやり方で経営していくのだという。

そうなると、新社長にとってやりにくいのは、旧社長のやり方に慣れている古い人間たちだ。社長もこの交代には後ろめたいところがあるのか、数年前から次々と自分についてきた参謀たちに退職を促したり、独立を勧めたり、別の会社を紹介したりしていた。

ところが祐介は優秀であるがゆえに、まだ若い新社長には必要だと考えられていたようだ。一人だけ残されていた。

この状況がいかに微妙なものかということを彼は十分にわかっていた。

そして、社長は会社を去った。

彼は祐介に一言こう言い残した。

「すまんが、いろいろと支えてやってくれ。頼んだぞ。おまえだけが頼りだ」

「多少辛くなるのを覚悟で、どこかで会社を興しておくべきだった」

この十年間、祐介は何度そう考えたことだろう。彼の最近の人生は、その後悔のくり返しだった。

成功者になりたいと考えるようになってからこれまで、

「今は無理だ」

と思えるハードルがいつも目の前にあった。それさえ越えれば何とかなるのにと思っていたが、いざ越えてみると、もっと大きなハードルが目の前に現れた。そうなると、

「なおのこと、今は無理だ」

となってしまう。

そして、決まって同じことを思う。

「こうなるくらいだったら、あのときやっておくべきだった。今の状況はあのときよりも難しくなっている」

最近は以前にも増して、その後悔が強くなっていた。


――――――――――――

一度は会社をつぶしそうになっていた例の友人が、サポートしてくれるたくさんの人との出会いを経験してから、会社を大きく成長させ、誰もがうらやむような暮らしを手に入

れたらしい。

彼は祐介が憧れ続けた成功者になったのだ。

そのことが祐介の後悔に一層拍車をかけた。


友人は会社を興して失敗し、寝る間もなく働き続けなければならなくなった。

高給という条件につられて、自分もおいしい思いをしようとついていった人間はすぐに彼のもとを去ったが、代わりに、低給でも地道に一緒の夢に向かって努力できる仲間と出会うことができた。そして、努力を続けたその会社は徐々に成長し、今では彼は悠々自適の暮らしを手に入れたのだ。

つまり、「楽して儲けよう」としたがために「他の誰よりも大変な努力」を強いられる羽目になったが、「他の誰よりも大変な努力」をすることによって、「夢を実現する」ことができた。

久しぶりに見たその友人は、以前とはまったく違うことを言う人間に変わっていた。

「人から喜ばれることをコツコツやることが、私の一番の幸せです」

直接会ったわけではない。こんな言葉とともに紹介されている経営者向けの雑誌を偶然見つけたのだ。今はアメリカに住んでいるらしい。祐介とは別の世界で生きる人間になっていた。

「お金の心配をしなくなると、言うことに余裕が出てくるもんだ」

祐介は自分がひがんでいるということに気づいていたが、その感情を押し殺そうとはしなかった。

「俺もどこかで、どうして一歩踏み出さなかったのだろうか……。勇気がなかった。認めたくはないが、そうだろう。失敗するのが怖かったのだ」

すべてを投げ出して、失敗してもいいからという気軽さで会社を興すことなんて、もうできないだろう。

絶対に失敗は許されないのだ。失敗は即、職を失い、収入がなくなり、マンションも、子供の進学も、彼ら夫婦の老後の蓄えもなくなることを意味している。

考えてみると、彼のこれまでの人生には、いつも動くに動けない状況があった。そして年々、それに新しい何かが加わって、ますます動けなくなっていった。

「状況が俺の人生に味方したことなど、一度もなかったじゃないか！」

一方で、実はいつだって、何だってできたのでは……という思いを拭い去ることができない。

祐介は「できたんじゃないか」「いや、しかたがなかったんだ」と押し問答のように考え続けた。

いずれにしても、今は何もできそうもないという結論は変わらなかった。

「若い頃に思い描いていた成功を手にすることは、もうできないだろう」

心に浮かびあがってくるそのセリフを押し込めて、代わりにこう自分に言い聞かせる。

「今は、どうしても無理だ。今はまだ……」

ベランダから遠くに見える山を眺めながら、祐介は実家の自分の部屋から見える田舎の山々を思い出していた。

「あの山は今もあのときと変わらず美しいのかなぁ」

短くなったタバコを消し、すぐさまもう一本、新しいタバコを取り出そうと箱の中を探る。

一本しか残っていない。

ちょっと曲がったそのタバコを指の腹でなでるように整え、ゆっくりとくわえて火をつけた。


「俺は人生において成功したいと思っていた。

そして、そうなれると思っていた。

お金持ちになって、自分の欲しいものを欲しいときに手に入れられる暮らしをする、と。

庭つきの大きな家に住んで、海外にも別荘を持って、とにかくそういう成功した人生を手に入れたいと思って上京してきた。

心からそうなりたいと思っていたし、そうなる方法がどこかにあるはずだと思って生きてきた。

ところがどうだ、今の俺は。

人生も半分以上過ぎて、そろそろ老後のことを考えなければならない年だというのに、何一つ手に入れていないじゃないか。

自分の人生という貴重な時間を費やして得た金を、いったい何に使ってきたのか。

何も残っていないじゃないか。

どうでもいいガラクタばかりに変えてきたということか。

それとも、一生を費やしてマンションの一室をやっと手に入れる、それが精一杯の人生だったということか。

それだけの人生でしかないということか。

これが大志を抱いて上京してきた人間の行き着く先だというのか」

彼は空になったタバコの箱を絞るように両手でひねりつぶした。

「これが俺の人生だというのか、祐介。
それともこれが、おまえの今後の人生なのか、祐輔！」

scene 2

# 父からの手紙

## 父の思惑

祐輔は立ち上がって、通路を歩いていった。

自動扉を通り、その奥にある洗面台の前に立つ。

すぐにカーテンを閉め、水で顔を洗い、まっすぐ前を向くと、鏡に映る自分の顔をまじまじと見つめた。

「何だ、これは？　いったい何なんだ」

何とも言えない感情が祐輔を包む。

どう表現していいかわからないが、とにかくじっとしていられなかった。

祐輔の乗った新幹線は京都を越え、東に向かって走っている。

前回、新幹線に乗ったのはちょうど一カ月前、受験のために上京したときだ。そのときはこのあたり一面雪景色だったが、今はまったく違う景色が広がっている。

が、それどころではない。

「俺は何をしに、どこへ行こうとしているのだろう?」


座席に戻った祐輔は、窓の外に目をやった。

窓から見える景色は、近くのものがやたらと速く過ぎ去り、遠くのものはゆっくりと動く。何かこう、速さの違うベルトコンベアが何本も動いているような錯覚にとらわれる。

そんな景色を見るともなしに見ながら、祐輔は父から手渡された一冊の日記帳に書かれていた「祐介」という一人の人間の物語について考えていた。

高校卒業後、東京の大学を目指して祐輔が一年間の浪人生活を送っている間、父は熱心にそれを書いている様子だったが、祐輔は単なる日記だろうと思って気にもとめなかった。

だから数時間前、別れ際にそれを手渡されたときは本当に驚いた。手紙の一通ぐらい渡されるかもしれないとは思っていたが、まさか一冊の本ほどの分量もあろうとは……。

親の前だとなかなか素直な感情が出せない。

祐輔は小さく「ありがとう」と言っただけで、それを受け取った。父には聞こえなかったかもしれない。

十九年間慣れ親しんだ故郷を離れる瞬間。

家族と離れて、自分の人生が始まる。

いろんな思いが交錯し、何か言わなければと思うのだが、言葉が見つからない。結局、発車のベルと同時にやっと口から出たのは「行ってくるよ」の一言だけ。見送りに来てくれた両親も言葉にならず、目を真っ赤にしながらも笑顔でうなずいてくれた。

それが、今から四時間ほど前の出来事だ。

ハードカバーの緑の表紙で、しっかりと製本されたその日記帳は、栞《しおり》のひもまでついている立派なもので、日記帳というより「本」といったほうがふさわしい。

予讃《よさん》線伊予西条駅で祐輔が乗ったその電車は、左手に海を見ながら四国を抜け、瀬戸大橋を渡って、祐輔を岡山まで運んだ。窓から見える景色は、どこまでも故郷のそれと似ていて、さまざまな思い出が次から次へと頭をめぐり、何度も涙があふれそうになった。

「こんな感傷的な状態で父のくれたあれを読んだらやばいな……」

そう思い、予讃線では結局開くことのなかった緑の表紙。

岡山で新幹線に乗り換えてから読もうと決めた。


いったい何が書かれているのだろう。

きっと、これから頑張れといった励ましや、一つ屋根の下で生活した十九年間で伝えきれなかったこと、今までの思い出話なんかが書かれているのだろう。ひょっとすると、実は自分の知らない出生の秘密か何かがあって、その告白なのか……。


新幹線に乗ると、幸いなことに隣の席には誰も座っていなかった。

「これなら、いきなり感動的なことを書かれて涙が出てきても大丈夫だ」

チラッとそんなことを考えたが、一応カバンの中からベースボールキャップを取り出し、深くかぶった。そうしておいてから、ようやく緑の表紙のその本を取り出した。

期待と不安が入り交じり、鼓動が速くなっているのを感じる。落ち着こうと大きく息をしながら、祐輔は最初のページを開いた。

「えっ……小説？」

彼の予想は大きくはずれた。

父が自筆で書いた本は、こう始まっていた。


一人の青年がいた。

名前を祐介といった。


「『すけ』は、『輔』だと書くのが面倒なので『介』にしたのだろう」

はじめはそう思ったが、どうやら自分とは別の人間の話らしい。

「あの親父が、小説？」

祐輔は驚きよりも、おかしくて思わず笑い出しそうになった。

ところが読み進むうちに、父の書いたその小説にはまり込んでいった。そして、自然と主人公の「祐介」の人生を応援し始めた。

「それにしても何だろう？　やっぱり変だ、この小説は」

祐輔は普通の小説にはない違和感を覚えたが、きっと素人が書いたものだからだろうと、あまり気にせずに読み進めた。

途中で何度も、物語の中に出てくる「祐介」に同情したり、賛同したりした。

「祐介」には人生のどこでチャンスがやってくるんだろう？

どうやって幸せを手に入れていくんだろう？

彼の思い描いた成功にどういうきっかけで近づけるようになるんだろう？

そんな楽しみを抱きながら、いつのまにか他の小説と同じように、ハッピーエンドを期待して読んでいた。

何しろこの小説は、漢字は違うとはいえ、自分と同じ「ユウスケ」の物語だ。きっと父もそのことを意識させようとしてこの名前をわざわざ選んだのだろう。

だからどうしても成功してほしかったのに、父が生み出した「祐介」はどんどん状況が悪くなっていく。

人生の逆転劇を際立たせるための一種の演出だろうと考えていたが、それもなかった。大どんでん返し、大富豪との奇跡の出会いといった期待も裏切られた。

父がわざわざ自ら書いてまで読ませようとした小説は、何とも救いようがないというか、悲しいというか、希望を抱いて生きてきた若者がどんどん光を失っていく姿が書かれただけの小説だった。しかも「祐介」という架空の主人公が、物語の最後に自分の名前を呼んで問いかけてくるのだ。


「これが、おまえの今後の人生なのか、祐輔！」


実際には存在しない空想の世界の中に引きずり込まれたような不思議な気持ちになったが、それ以上に、怒りにも似た感情が祐輔を包んでいた。

「何だって親父は、前途洋々たる若者にこんな物語を読ませようとするんだ。俺は『祐輔』であって『祐介』ではない。ましてや、俺の今後の人生がこんなふうになるなんて、冗談じゃない。俺は……、俺の人生は、もっとちゃんと……」

しかし、それに続く言葉を頭の中で考えたとき、祐輔は素直に認めた。

「そうだ。俺も考えている。
俺は人生において成功する。ちゃんと成功すると……」

祐輔には自分が何に対して腹を立て、イライラしているのかがよくわかっていた。今の祐輔は、父が物語に描いた若かりし頃の「祐介」そのものだった。

「金持ちになりたい。自分の欲しいものをすべて手に入れられる生活がしたい。大きな家に住んで、別荘も持って……。そう、成功者と呼ばれる人間になるんだ。せっかくこの世に生まれてきたからには、誰よりも成功したい」

祐輔もまたそうなれると信じていたし、そうなる方法がどこかにあるはずだと思っていた。それを見つけるために、浪人してまで上京することにこだわった。

自分のやりたいことはまだ決まっていないが、これから四年間の大学生活の中で見つかるだろうし、大成功のチャンスがどこかで必ずやってくるだろうと考えている点でも、祐輔は「祐介」と同じだった。

ところが、自分が考える方法では、決して成功者になることはできないということを、「祐介」は人生を賭して伝えてくれた。いや、正確には父が小説を通じて教えてくれたのだが、とにかくそれはよくわかった。

具体的にやりたいことを持っていなければ、いくら成功したいと心から願っていても、成功は難しいということも、彼なりに学ぶことができた。

しかし悔しいことに、どうするべきなのかという解決策は、今の祐輔には何一つ浮かばない。

読み進めながら祐輔は、

「さすが父親だけあって、痛いところをついてくるなぁ」

と何度も苦笑した。

祐輔の乗った新幹線は、まもなく米原を通過しようとしていた。東京まで、あと二時間半ほどだ。

父親が書いた物語は、「祐輔」の名前が出てきたところで終わってしまった。渡された日記帳のちょうど半分あたりだ。残りの半分もびっしり何かが書かれているが、どうやら物語ではなさそうだ。

「愛する息子、祐輔へ」

そんな書き出しで、一ページの白紙をはさんで始まっている。

残りの分量を考えると、何とか東京に着くまでに読み終えられそうだ。

「これを読み終えてから、新しい生活を始めたい」

祐輔はそう強く思った。

「それにしても、よく考えたものだ」

同じ屋根の下に暮らしているときには、父親から話しかけられても、生返事をしては逃げるように自分の部屋に入っていた。まあ、そういう年齢だったのだろう。言葉を交わすと、なぜか素直になれなくなる。

でも今は、父の言葉を知りたい。これほど素直に、父の言葉や考えを知りたいと思ったことは、これまで一度もなかった。

「まんまとしてやられたなぁ」

不思議と腹は立たなかった。むしろ一緒に生活しているときには素直に受け取れなかった大きな愛に包まれてみたくなっていた。

「よし、続きを読もう!」

祐輔はだいぶ落ち着きを取り戻していた。

# 愛する息子、祐輔へ

ついに、おまえが親元を離れて東京で一人暮らしをする日がやってきたね。

いつかはこの日がくることはわかっていたが、いざその日がきてみると、本当にあっという間の十九年間だったよ。

最後の数カ月は、なぜだかおまえが小さかった頃のことばかり思い出していた。

家族が離れて暮らすのは寂しいことだが、これからのおまえの人生をよりよいものにするためには必要な経験だ。たくましく、自分の思いどおりの人生を生きてほしいと心から願っているよ。

旅立ちに際して、おまえにしてやれることはないかと一年ほど前から考えていた。そして思いついたのが、一つの物語を贈ることだった。そうするのが父さんの伝えたいことを伝える一番いい方法じゃないかと思ったんだ。

もちろん、小説なんて書いたことがなかったから、うまくいくかどうかわからなかったけれど、終わってみれば本当に楽しい経験だったよ。

ただ、父さんの書いた物語は、今までおまえが読んだことのある小説とは何か違うと感じたんじゃないかな。

それが何なのか、気づいたかい？

もちろん父さんは作家ではないから、文章がつたないというのは差し引いて考えてくれよ。そうではなく、父さんの書いた小説がちょっと変わっている理由がいくつかあるんだ。

まずはそれを説明していこう。

まず、この物語には「祐介」という登場人物以外、具体的な状況設定がなされていない。他の登場人物の名前も、会社名や職種もすべてわからない。

だから、普通の小説よりその世界に入り込むのが難しかったかもしれないね。

これで主人公すら「ある人」のままだったら、物語にまったく引き込まれないかもしれない。下手をすると、おまえが途中で読むのをやめてしまう可能性だってある。

そこで、主人公の名前を「祐介」にしておいたんだ。

おまえは誤解しているかもしれないが、私は決して「祐介」を「祐輔」だと思って書いたわけではない。

にもかかわらず、おまえは、「祐介」に自分を重ねる部分が多かったんじゃないかな。

だとしたら、この物語を書いてよかったということだ。

そもそも私は予言者ではないから、今後の人生がこうなるなんて言うことはできないし、おまえがどういう気持ちで上京を決めたかを知ることもできない。

ただ、「祐介」は存在しないけれど、モデルはいるんだ。

それは誰か？

これはね、上京した多くの人の実話なんだよ。

だから、この物語を読んだら、自分に当てはまることが多くて、腹が立ったり、イライラしたりする人もいるんじゃないかな。気落ちする人もいるかもしれない。

自分に当てはめなかった人も、「これはあいつのことだ」と、身近にたくさん思い当たる人が浮かぶだろう。

つまり、きっとみんな、自分や身近にいる誰かを思い出しながら読むんじゃないかと思うよ。

実際におまえが東京で生活を始めたら、家路につく人たちの顔をよく見てみるといい。物語の終盤の「祐介」はこんな顔かなと想像したままの顔をしている人が少なくないことに気がつくだろう。

彼らはみな、他の人が持っていて自分が持っていないものを手に入れるために必死で生きてきて、疲れ果ててしまった「祐介」なんだ。

というわけで、この物語が世の多くの人の実話なのはわかってもらえたかな。

だから奇跡も起こらなければ、お金持ちとの偶然の出会いもないし、天使や福の神が現れて生き方を示してくれることもない。

頑張って生きている主人公を応援したくはなるかもしれないが、主人公が自分から動かない限り、特別な出来事は何も起こらない。

そうこうしているうちに、主人公は若い頃に放っていた光をどんどん失っていく。普通なら、ドラマや小説にはなりっこないストーリーなんだ。

「祐介」の半生を読み終えたおまえは、今、あることを期待して、続きを読もうとしているんじゃないかな。

つまり、成功を手に入れる方法を知りたい、と。

残念ながら、私は成功者になるための具体的な方法を書くつもりはない。それは、これからおまえが自分の人生を通じて、自分で探していけばいい。

それでは、この物語を通しておまえに伝えたいことは何か？

この世の中の誰もが、幸せになりたい、成功したいと思って生きている。今はもうそれをあきらめてしまった人も、はじめはそう思って自らの人生をスタートさせたはずだ。

ところが自分でも気がつかないうちに、「こんなはずではなかった」という人生になってしまう。

それもそのはずだ。今の日本で普通に育ってきた人は、周囲から入ってくる数々の情報や教育によって、十数年間という長い時間をかけて、欲しいものを次から次へと手に入れるのが成功であり、それを可能にするだけのお金を手にした人を成功者と呼ぶような価値観を植え付けられる。あらゆるメディアも教育も、すべての人に「消費＝富の証」という考えを植え付けるシステムになってしまっている。

そうしなければ、国も企業も成り立たなくなってしまっているからね。

その結果、みんな真の成功者とはほど遠い、消費者もしくは浪費者になってしまうんだ。

自分がそうなっていることに気づくのは、人生も後半になってからだ。気づく人はまだ運がいいのかもしれない。気づかぬまま人生を終える人も少なくはないのだから。何を隠そう、私もかつてはそういうことに気づかずに生きていた大勢の中の一人だった。

だからこそ、よくわかる。みんなが常識だと思っていることは、主にテレビや映画などを通じて植え付けられた一つの価値観でしかない。

それは成功者の常識ではなく、一部の人間を成功者にするために植え付けられた消費者としての常識なんだ。

そのままでは、どれほど頑張って成功者になろうとしても、必ず「祐介」のようになってしまう。

真の成功者として本当に幸せな人生を送りたければ、今まで育ってきた中で知らないうちに身につけてきた常識の殻をやぶって、その殻の外側から、今の常識で生きている人たちがいかに成功とはほど遠い非常識な生き方をしているのかをしっかり観察するといい。

殻の外から見れば、多くの人が常識だと思っていることが、成功とはかけ離れた考え方であることがすぐにわかる。

父さんがこれから書くのは、ほとんどの人が知らず知らずのうちに身につけてしまう五つの常識についてだ。おまえもきっと、これまで十二年間の学校生活の中で身につけている。

これらは、世の中の多くの人が「常識」として疑っていないがゆえに、その殻の外に出ることが本当に難しいんだ。誰もが「みんな同じだから」という安心感を求めているからね。

でも、それが正しいという根拠はどこにもない。

常識なんて時代とともに変わる。普遍的なものではない。どれだけ多くの人が支持しようとも、間違った常識は、必ず明日の非常識になるんだ。

これから、一つひとつの常識の殻を丁寧に壊していくことによって、おまえはその殻の外に出ることに成功するだろう。それは本当に勇気がいることだ。でもこの本を読み進めていけば、自然とその勇気も身につけられるようになっている。

そして、殻の外側からこの五つの常識にがっちりと囲まれて生きている大集団を見たとき、それがいかに成功とはほど遠い生き方であるかを改めて実感できるだろう。

それがこの本の目的であり、おまえの門出を祝う私からの贈り物だ。

おまえが自分の人生をすばらしいものにするために役立ててもらえれば、本当にうれしい。

では、早速一つ目の常識から話を進めていくことにしよう。

やぶるべき一つ目の常識の殻

## ―幸せは人との比較で決まる―

世の中の多くの人は、人生において成功したい、幸せになりたいと若い頃から考えている。ところが、その成功なり幸せの基準を、実はとんでもないやり方で決めているんだ。よく考えもせずに、みんながそうだから自分もそれでいいと思っている。

これが、やぶるべき一つ目の常識の殻だ。

どういうことかわかるかい？
成功とか幸せというものを、自分で決めるのではなく、他人との比較で決めているんだ。
嘘みたいな話だが、それがほとんどの人の中で常識になっている。

信じられなければ、おまえが大学を卒業して就職するときのことを想像してみるといい。自分以外の同期の給料が二十万円で、自分だけが四十万円もらえる職場と、自分は五十万円もらえるけれど、自分以外はみんな百万円もらえる職場がある。さあ、どちらのほうが幸せな毎日を送れるだろう？

おそらく前者だろう。

後者の場合、多くの人は幸せを感じることができない。まわりと比較して少ないことが我慢できないんだね。このままではまわりの人がどんどん手に入れているものを自分は手に入れることができないと思ってしまうんだ。

実際に今の日本人の多くは、世界で類を見ないほど裕福な生活をしている。にもかかわらず幸福を感じることができないのは、まわりの人と比べることで幸せかどうかを決めているからだ。自分のまわりに自分よりもたくさん持っている人をわざわざ見つけてはうらやましがるからなんだ。

幸せの基準を他人との比較によって決めようとする人は、他の人は持っているけれど自分は持っていないあるものを探し、それがないから自分は幸せではないと考える。そして、自分もそれを手に入れたら幸せになれると思い、それを追い求めるんだ。

他人が車を持っていればうらやましくなり、自分もそれを手に入れるのが幸せだと思う。ところがそれを手に入れたときには、まわりには家を買ったり、自分で会社を興したりする人が出始める。それをうらやましいと思い、また無理をして手に入れようとする。そのくり返しだ。

車や家だけでなく、洋服や娯楽などあらゆるものにおいて、とにかく他の人よりも多くを持っているほうが幸せな気がして、そうなろうとする。

その結果、疲れ果て、無気力になっていく。

物語の中だけではない。これは多くの人の人生そのものなんだ。

売る側もそれがある幸せを必死で訴えかけてくるからね。他の人と同じものを持たなければ家族を幸せにできないと思っている人すらいる。

「祐介」の人生は、まさにそうだった。

最初から最後まで、彼の幸せの基準はまわりとの比較によって決まっていた。

車が欲しいと思うことも、給料や貯蓄が多いか少ないかということも、とにかく基準は他人がどうしているかだった。結果として彼の人生は、自らの幸せを追求する人生ではなく、他人が持っているものを追い求める人生になってしまった。


いいかい、祐輔。まずこれだけは忘れてはいけない。

**幸せの基準は、自分自身が決めるものだ。**


他人との比較の中に自分の人生をうずめて、他人の持っているものを「自分も」と買い求める人生は、たとえそれらすべてを手に入れたとしても、絶対に幸せを感じることはできないんだよ。

むしろ自分の人生をつまらない、苦痛に満ちた、不幸なものにしていくことになる。

「祐介」のようにね。

彼は他の人が持っているものを手に入れることができた瞬間が幸せだと勘違いして、その瞬間を手に入れるために、我慢を重ねた。

でも、何かを手にしたときに感じたのは、幸せよりもむしろ、焦りとかとまどいだった。手にしたものが高額であればあるほど「これでよかったのだろうか」という不安がわいてくる。

そして、自分の行動を正当化する言い訳を何度も自分にしなければならなかった。

そういう状態を幸せとはいえない。

他人との比較の中でしか幸せを見つけ出すことのできない人は、その考え方を捨てない限り、ますます人生に苦しむようになる。どれだけ頑張って自分の欲しいものを手に入れようとも、常に自分よりも多くを手にしている人はいるからね。

幸せな人生を送るためには、自分だけの価値観を持って、それに忠実に生きなければならない。

他の人が持っていても、自分の人生に必要なければ追い求めない。逆に誰も持っていないものであっても、自分の人生に必要ならば、何としてでも手に入れる。そういった自分なりの価値観を持つ必要がある。

**他人となんか比べなくても、昨日の自分よりも一歩でも前進しようと努力しているとき、人は幸せを感じるようにできているんだ。**

仕事の面白さにのめり込んでいた頃の「祐介」や、貯蓄を楽しんでいた頃の「祐介」を思い出せばわかるだろう。

どうだい？　納得できたかい？

「なるほど！」と思えたのなら、おまえはもうすでに一つ目の常識の殻の外に出ることに成功したのかもしれないね。

その場所から、この常識の殻の中で必死に生きている人たちを眺めてごらん。他人との比較で幸せかどうかを決め、人の持っているものをうらやましがって、それを追い求める生き方をしている人たちだ。

「これじゃあ、成功なんてできないよなぁ」

ということが納得できるんじゃないかな？

## やぶるべき二つ目の常識の殻
## ──今ある安定が将来まで続く──

さて、「祐介」が人生の成功を望んでいたにもかかわらず、輝きを失っていった原因の一つが「他人を基準にして幸せを定義していた」ことだというのはもうわかったね。

では、今度は二つ目の常識の殻、「安定」について説明しよう。

世の中の多くの人が「安定」だと思って頼って生きているものは、実はほとんどの場合、「みんなもそうだから」ということ以外、何の根拠もなく、実際にはとても脆《もろ》いものだということがよくある。

職種が何であれ、会社の規模がどうであれ、時代が変われば状況も変わる。

この事実から逃れられる会社、職種はない。

十年もたてば世の中が大きく変わるのは、いつの時代も同じことだ。

安定していると思って選んだ会社が、ある日突然なくなってしまうことだってある。

原因は何も時代の変化だけじゃない。とりわけ今の時代は、たった一人の不祥事が原因で、会社そのものがなくなってしまうことだってめずらしくない。

そして、それはある日突然やってくるんだ。


このとき、多くの人が人生の歯車を狂わせてしまう。

そして思う。

「こんなはずではなかったのに……」と。


こういう話をすると、誰もが「自分は先を見る目があるから大丈夫だ」と他人事のように思う。でも実際は他人事なんかじゃない。

実に多くの人が、ものすごく不安定なものの上に乗っかっていながら、まるで安定した人生を過ごしているかのように錯覚し、その錯覚が続くことを前提に将来を設計している。

どうだい？　おまえはそうじゃないと言い切れるかい、祐輔。

ためしに、これからする話をよく考えてみてほしい。

おまえが大学に合格して、東京で一人暮らしをすることが決まってから、新しい生活には何が必要で、月々どれくらいの仕送りがいるかということを夕食の席で話したことがあったね。

あのとき、アパートを借りたり、家具をそろえたり、布団を買ったりと、はじめに五十万円くらいはいるだろうという話になった。それから、仕送りは月々十二万円、そこから家賃やら何やらすべてを払って、足りない分は自分でアルバイトをして稼ぐということも決まった。覚えているね。

おまえは、あの約束が向こう四年間、何があっても変わることなく果たされる絶対的なものだと決め込んでいないかい？

でももしかしたら、ある日突然私がこの世を去ってしまうことだってあるかもしれない。そんな大ごとではなくても、私の気が変わることだってあるかもしれない。「もう一円も送らないから、自分の力で生きろ！」という具合にね。

大学生活が始まって一ヵ月もたたないうちにその日がやってくるかもしれないんだ。

もちろん、そうしようと思って言っているのではない。でも、可能性がゼロではないというのは事実だ。

誰でもそうだが、裏切るつもりで約束する人なんていない。でも、その約束を守ることができない、どうしようもない理由が生じることだって長い人生の中にはある。

さて、自分に素直になってほしいのはここからだ。

おまえは上京後、どういう大学生活を送ろうと考えていたかな。

自分なりの計画を持っていたんじゃないかと思うんだが、どうだろう？

東京に着いたら、まず新生活に備えて、洗濯機を買いに行くだろう。ついでにテレビも買うだろう。頭の中でいろいろ計算して、今買えるものとそうでないものを考えるだろう。

うまくやりくりすれば別のものも買えるかもしれない、なんて考えながら。

そして、こう考えていないかい？

「はじめから欲しいものすべてを手に入れるのは無理かもしれないが、仕送りで十二万円入ってくることが決まっているから、アルバイトで五〜六万円も稼げば、こういう生活ができて、欲しいものが手に入って、サークル活動もできそうだし、思い描いたとおりの大学生活が手に入る」

つまり、「毎月十二万円は絶対に入ってくるから」というのをベースに、どういう生活をするか、何を買うか、どんなアルバイトをどれくらいするかを決めているんじゃないかな？


さて、父さんの書いたこの物語は多くの人の実話だと言ったのは覚えているね。

世の中の多くの人たちは、自分の力では変えられないものをあてにして、それが安定しているという前提のもとに人生設計をしているんだよ。

「それが安定しているうちは、自分の人生も安定している」

ということは、裏を返せば、

「その安定がなくなったら、自分の人生は不安定になる」

ということなんだが、そのことには気づかないふりをしているんだ。

いや、気づいているからこそ、固く念じているのかもしれない。

「絶対にそんなことにはならない」ってね。


どうしてみんなそんな生き方をしていて平気な顔をしていられるのか、わかるかい？

他のみんなもそうだからだよ。つまり、それが常識だからだ。


私は「祐介」を通して、まじめに働いている普通の青年が、最初から最後までずっと安定していないものの上に立っているにもかかわらず、それを安定しているものだと考えて、そこを基軸に人生設計をしている様子を描いた。

誰だって、はじめからそんなに会社をあてにしているわけじゃない。若いうちはむしろ、会社を自分のために利用してやるくらいに思っているものさ。「祐介」もそうだった。

ところが、大きな買い物をしたり、ローンを組んだりすることによって、どんどんそれをあてにする期間が長くなっていく。

よほどまずい状況でなければ、半年後に会社があるかどうかを心配する人はいない。だからこそ、半年先までの給料をもらえることが決まったかのように錯覚する。そして、それをあてにしてものを買う。人生設計をする。

そうやっていくうちに、それが当たり前になってしまう。半年が一年になり、五年になるような買い物をし始める。

ところが三十年ともなると、誰だって自信がなくなってくる。今をときめく企業で働く人だって、向こう三十年間その会社があるかと聞かれて、自信を持って答えられる人なんかいない。

第一、自分の健康だってあやしいものだ。

半年後の自分の健康を疑わない人も、三十年後の自分となると、自信が持てる人のほうが少ないんじゃないかな。

世の中の状況だって変わる。十年前はいい思いをしていた人が苦しくなったり、その逆もあったりする。ほら、ちょうど物語に出てくる「祐介」の友人のように。

そんな中で、何かがうまく行き続けることをあてにして、人生の成功を目指しても、うまくいくはずがないだろう。

長い人生の間には、会社が倒産することや、給料が減ること、地位が下がってしまうことなど、状況が悪くなることが多々あるものさ。むしろそのほうが普通なんだよ。日本は資本主義社会だからね。資本主義とはそういうものだ。何も起こらずに予定どおりすべてのことが運ぶなんて、ありえない話なのさ。

それなのに、ちょっとでも予想と違う、自分にとって不利な出来事が起こるたびに、「だから、思いどおりの人生にならなかった」なんて考えているようでは、誰の人生の話をしているんだかわからない。他の誰でもない、自分の人生なのに。

おまえは意外に思うかもしれないけれども、安定というのは何かを手に入れたときに得られるものではない。自分の力ではどうしようもないものに依存したときに得られるものでもない。

安定も幸せと同じように、あくまでも心の状態だ。

つまり、何も手に入れなくても得ることができる。

**本当の安定というのは、自分の力で変えられることを、変えようと努力しているときに得られる心の状態のことをいうんだ。**

「祐介」を思い出してみよう。

彼が自分の状況を変えようと努力していた入社したての頃は、月二十万円そこその収入でも不安にはならなかった。一方、何十年かたって、月に六十万円ほどもらえるようになって、いても立ってもいられない不安な状態になった。

彼の会社はなくなっていない。給料だって、地位だって下がってはいない。つまり、あてにしていた安定は物語の最後の場面でもちゃんと存在した。

ところが、当の本人がそれを安定していると思えなくなってしまった。

どうしてそんなことになってしまうのか？

それは、人生の中で目的と手段の逆転現象が起こってしまったからなんだ。

「祐介」のように、安定をあてにして人生設計をしている人は、その安定がなければ自分の人生が思いどおりにいかないものだから、今度はその安定を得るために、自分の人生を使い始める。安定という概念が心の中で揺らぐのをきっかけにね。

彼は、はじめは自分の人生のために会社を利用しようと思っていた。ところが、給料が入ってこなくなると人生の計画が狂ってしまう。そこで、自分の人生を月々決まった金を手にするために使い始めた。

どうだい、祐輔。二つ目の常識の殻の外に出ることはできたかな？

「安定」というのは、常識の殻の中で生きている人たちが思っているように、何かを手に入れたときに得られるものではない。多額のお金を手にしたとき、ましてや特定の職業に就いたときに得られるものでもない。

自分の力で変えられるものを変えようと努力しているときにこそ手にできるものなんだ。

さて、そうなると、安定だと考えていたものが不安定になってしまう前に何とか手を打って、それこそ自分の会社でも何でも始めてしまえばいい、ということになるんだろうが、そう単純ではないのが人生だ。

現に「祐介」も、状況が許せばいつだって独立したいと思っていたんだ。ところが、それができる状況というのがやってこなかった。もっと正確に言えば、やってこなかったと祐介は思っていた。

それはなぜか？

わかりやすい二つの理由が「祐介」にはあったね。

一つは、やりたいことを見つけられなかった。

もう一つは、十分な資金がなかった。

実はこの二つは、人生を成功させたいと思っているのにうまくいかないすべての人に共通する壁なんだ。

もしかするとおまえも、どうやってこの二つの壁を越えればいいのかわからずに、もどかしい思いをしているんじゃないかな？

「俺も成功者になりたい。でも、何をやれば成功者になれるかもわからないし、自分がやりたいことも決まっていない。それが決まったところで、それを始める資金もない。このままだと物語の中の『祐介』と同じだ！」ってね。

ところが、成功者と呼ばれる人たちにとって、この二つは壁ではないんだよ。

壁だと感じることなく、この二つをクリアしているところが、すべての成功者に共通している。

別の言い方をすれば、この二つを壁だと感じた時点で、成功者にはなれない。

そこにはやはり、普通の人が常識だと思っている二つの殻が存在する。その殻の中にいるから、この二つがことさら大きな壁のように感じられるんだ。

やぶるべき三つ目の常識の殻

## ―成功とはお金持ちになることだ―

「何かを始める資金がなければ、自分のやりたいことはできない」

成功者になれなかった人は、みんな共通してこう考えている。

しかし面白いことに、成功者は誰一人としてそうは考えない。

ということは、多くの人にとってのこの常識は、成功者にとっては非常識ということになる。


「祐介」はお金を貯めて何かをやろうと思っていた。覚えているね。

でも私は、もし彼がそれをやるのに十分なお金を手にしていたとしても、何かを始めることはできなかったと思うんだ。

なぜだかわかるかい？

**成功する人というのは、今この瞬間からでも、やりたいことを始められる人なんだよ。**

ところが「祐介」にはその瞬間が一度もなかった。いつも、そのときの自分にはできない理由が自分の中にあったんだ。

彼はその一番大きなものはお金だと思っていたが、成功する人はお金がないという理由でやりたいことをあきらめたりはしない。

彼らは、はじめにお金がなくたって成功できることを知っているんだ。

おまえに一つ質問をしてみよう。

父さんがおまえに「明日から会社をつくれ！」って言ったら、おまえは何て答えるかな。

おそらく「無理だ」と言うだろう。

その理由は何だろう？

お金がない。
コネがない。
事務所がない。
働き手がいない。
経験がない。
できることもない。

できない理由が他にも何かあるかい？

それらを出し尽くしたところで、もう一つ自分に質問してみてほしい。
「それなら、おまえよりもお金がなく、コネも事務所もなく、働いてくれる人もいない、経験もない、その他おまえの考えるできない理由をすべて同じように持っている人は、絶対に会社をつくることができないと断言できるか？」ってね。

どうだい？　やっぱり思うだろう。
「それでも成功させる人間はいるかもしれない」って。
そう、事実そういう人は存在する。

そう考えると、会社をつくり、成功させるために必要なものは、そういうものではないということがわかる。

できない理由を挙げればきりがない。でも、それらすべてがなくても成功する人はいる。やりたいことがあって、それをゼロから始める勇気があって、ゼロからでも始められる方法をつくり出す頭脳さえ持っていれば、誰だって会社をつくることはできるんだ。それこそ今、この瞬間にでも。

ところが多くの人は、まずやりたいことがない。
あっても、それをやるには手元に一千万円なければ……なんて考えている。だから、それが貯まるまでは考えてもしかたがない、と後回しになる。

そしてお金がある程度貯まってくると、今度はやりたいことが決められなくて困る。そのくり返しだ。

もちろん中には、やりたいことも、それに必要な資金も手にしている人だっている。そういう人なら必ず自分のやりたいことに挑戦するのかというと、案外そうでもない。

こういう人は一番大事なものがないんだ。

それが何かはあとで説明することにしよう。

この物語は、他の小説やドラマとは違うと言ったね。それは主人公の名前である「祐介」以外は具体的な設定がないからだということも説明した。

ところがおそらく、この物語を読んで変だと感じる一番の理由は、それではない。

ここに描かれている人たちは、他の小説やドラマで描かれている人たちとはまったく違う価値観を持った世界で生きているんだ。

でも、現実の私たちの世の中は、どちらかというと私の書いた物語と同じ世界なんだよ。

何が違うか、わかるかい？

人生を動かす行動の基準が違うんだ。

私の書いた物語の世界では、主人公の「祐介」をはじめ、彼の同僚や友人に至るまで、登場するすべての人が同じ一つの基準によって行動を、いや、人生そのものを決めているんだ。

それが何か、もうわかったね。

物語の中で「祐介」という名前以外に具体的なものがもう一つあっただろう？

------

「金だ！」

祐輔はようやく気づいた。

「そうだ、この物語の中の人たちは金を基準に生きている。これじゃあ金のために生きているようなものだ。何かをやる、やらないを決めているものも金。やりたい、やりたくないではない。読んでいて何かおかしいと感じたのはここだったんだ。普通の小説やドラマではありえない」

祐輔は気になっていた胸のつかえがとれた気がした。

そう、「お金」だよ。

すべての行動がお金を基準に考えられていて、人生そのものがお金を中心に動いているんだ。

持っているお金によって、やるかやらないかを決める。

これから入ってくるお金のことを考えて、買うか買わないかを決める。

お金があれば、やりたいことができる。今はそのお金がないから、やりたいことができない。

そのお金をつくるために毎日働く。

お金がたくさんある人を成功者だと思って、それを目指す。

自分で会社を興したいと思う理由も、会社を大きくしてお金儲けをしたいだけ。
とにかく行動の基準がすべてお金なんだ。
そして、それを何の疑いもなく常識だと思っている。

結果として「祐介」の人生は、すばらしいサクセスストーリーではなく、車、結婚、家という三大出費にどう言い訳しながら、どうやって自分を納得させてお金を使ったのかという「消費履歴」になってしまったんだ。それでも本人は精一杯生きていたし、成功しようと必死だった。

でも、これじゃあドラマにならない。

普通の小説やドラマに出てくる主人公は、いや、主人公に限らずすべての登場人物は、それぞれ自分の夢や価値観を持っている。今持っているお金によって行動が制限されたりはしない。だからこそ見ていて共感できたり、かっこいいと思えたりするんだよ。
登場人物の給料や貯蓄高、家賃がわかるドラマなんてない。それぞれの収入や貯蓄なんて無視して物語が進んでいくんだ。

私の書いた物語では、すべての行動の基準がお金になっている。

だから、主人公の気持ちはわかるが、かっこよさを感じない。読んでいてイライラするときもあるだろう。

でも、実際に世の中の多くの人がそうやって生きているんだ。


ほら、現におまえも考えなかったかい？

月にいくら入ってくるから、こういう暮らしをして……という具合に。そして、「それが少なくなったらどうする？」という話をしたら、自分の生活スタイルそのものをお金に合わせようと考えなかったかい？

みんな真剣にお金持ちになりたいと思っているんだろうが、これではお金持ちになることなんかできないんだよ。お金を上手に扱うんじゃなく、お金に自分の人生をうまく扱われているんだから。


私はおまえに、自分のやりたいことをする人生を送ってもらいたいと心から願っている。

お金の有無に関係なく、おまえの夢とか、やりたいことが人生の行動基準になるような、そんな人生を。そう、かっこいいドラマの主人公のようにね。

今まで延々、お金や起業の話をしてきたのは、お金に興味があるからでもなければ、おまえにお金持ちになってもらいたいからでもない。お金を行動の基準にして生きる人生が、いかに自分らしい、すばらしい人生から遠ざかってしまうかを伝えたかったからだ。

起業やお金持ちになることがおまえの目標ならば、それを実現するための人生にするのも悪くない。それは自分で決めればいい。

ただ、お金持ちになりたいにしても、一度成功とお金というものを切り離して考えなければならない。

**成功者になるということは、お金持ちになるということではないんだ。**

この常識の殻をやぶるのは本当に難しいことだ。

それができるようにするためには、面倒だけれども「成功＝お金持ち」という常識の殻の中で生きている一人の人間の人生を描いて、それがいかに自分らしい人生を奪っていくかを見せるという、長い前置きがどうしても必要だ。
どういう生き方をしようとも、私がここに挙げる常識の殻の外に出て自分の人生を見つめることをしなければ、生きていることがうれしくてしかたがないほど幸せな人生は訪れないんだ。

さあ、どうだろう。「成功＝お金持ち」という常識の殻の外から、その中で生きる人たちを眺めることができただろうか？

まだ若いおまえは、多くの人がお金を行動の基準にしているという事実を疑っているかもしれないね。そう思うのもしかたがない。志の高い若者はそういう生き方を自分がすることになるとは思っていないものだ。
でも、自分でも気づかないうちに徐々にそうなっていってしまう人が多いということは覚えておいてほしい。

祐輔は父の言っていることが、ぼんやりとだがわかる気がした。

確かに、自分もお金を中心に生きようとしていた。しかも、世の中にはそういう人が多くいるだろうとも思えた。現に思い当たる人もたくさんいる。

でも、どうすればいいのかがわからない。肝心の「何をすればいいのか」については、まだ何も書かれていなかった。

## 答えはどこに？

祐輔は本から目を離し、上を向いて大きく一息ついた。

窓の外にはのどかな田園風景が広がっていた。どうやら静岡あたりらしい。前方に目をやると、自動扉の上にある電光掲示板に天気予報が流れている。

「東京は雨か……」

帽子のつばをちょっと上げ、窓から空を見上げてみた。文句のつけようのない青空が広がっている。斜めに差し込んでくる春の日差しが暑いくらいだ。

祐輔は栞《しおり》をはさんでいったん本を閉じ、どれくらい読んだかを確認してみた。

「三分の二くらいか……」

そして、ここまでの内容について考えてみた。

「もし、この物語を読んでいなければ、俺の人生は『祐介』と同じ人生になっていたかもしれない」

いや、「かもしれない」どころか、間違いなくそうなっていただろう。

何しろ物語の中に何度か訪れた人生の選択の場面で、祐輔は、

「それがベストだとは思わないけど、俺が『祐介』の立場なら同じような決断をするだろうな」

と思っていた。そう考えると、ちょっと恐ろしくなる。

だからこそ、この本を、正確に言えば日記帳に書かれた長い手紙なのだが、それをこの世に生み出し、自分に手渡してくれた父に心から感謝した。

この本のおかげで、自分は「祐介」にならずにすみそうだ。

父が自分に伝えようとしている、やぶるべき「常識の殻」は五つあるらしい。そのうちの三つはことごとく、自分の中でも疑いようのない常識としてすでに身についているものだった。

その常識の殻を一つずつ丁寧にはがして外に出てみると、確かに父が言うように、その内側で生きているうちは幸せや成功とはほど遠い人生になりそうだということがよくわかる。いや、わかるというより肌で感じられる。

あと二つの常識の殻が気になる。

そして、もう一つ。

常識の殻の外に出て、その中にいる人を見るのはそれほど難しいことではないが、実際にどうやって生きていけばいいのかはまだわからない。

「こうやって生きていこう」という答えは見つかるだろうか……。

「とにかく続きを読んでみよう。あまり時間がない」

祐輔はちょっとゆっくり読みすぎたことを反省し、ペースを上げた。

## 自分なりの価値観を築く

さて、どうだろう。

ここまで、おまえは上手に常識の殻の外に出て、その中で生きている大勢の人を観察できているだろうか。

世の中の多くの人が、

① 他人と比較することで幸せかどうかを判断し、
② 本当は不安定なものに依存して、それをもとに人生を設計し、
③ 「成功＝お金持ち」と考え、お金をすべての行動の基準にして、生きている。

その先に成功者になることを夢見て。

でも、それら常識の殻の外から見ると、これでは成功者にはなれないということがわかったと思う。

先へ進めよう。

おまえがやぶらなければいけない常識の殻はあと二つある。

でも、その話をする前に、すでに述べた三つの常識の殻をやぶって外に出たはいいが、どうやって自分なりの価値観をつくればいいのかという話をしておこうと思う。

実は、自分なりの幸せの基準を持つ方法も、真の安定を得る方法も、お金に関係なく行動の基準を決める方法も、基本的には同じなんだ。

## 自分の価値観を持つ方法①
## ―「時間」を投資する―

自分なりの価値観を手に入れる方法は無数にある。どんなことにおいても工夫は無限に存在するからね。

ただ、ここではこれから大学生になるおまえに、特に意識しておいてもらいたい三つのことを書いておこうと思う。

まず一つ目。

それは財産の投資だ。

ちょっと質問してみよう。

おまえは今、どれだけ投資に回せる財産を持っているかな？

こういう質問をすると、多くの人は、貯蓄がいくらあるとか、不動産を持っているとか、株があるなどと考え始める。それこそおまえのようにこれから世に出ようとしている若者なら、「そんなもの持っているわけないだろう」と思うかもしれない。

「祐介」も物語の最初から最後までこう思っていた。

「自分には投資をするためのお金がない」

おまえはどう思ったかな？

「残念なことに、俺にはまだ何もない……」

とがっくり肩を落としたのなら、まだお金を基準に人生を、そして世の中を見ているということだ。

「投資」とは何かをよく考えてみよう。

今ある財産を今使う。これは「消費」だね。

今ある財産を今は使えないものに変えて、将来大きくなるのを待つ。これが「投資」だ。

そういう投資に回せる財産は、今のおまえにもたくさんあるんだよ。もちろん「祐介」

にもたくさんあった。でも「祐介」はその財産を投資せずに、消費したんだ。

おまえの持っている大いなる財産。それが何かわかったかい？

「時間」だよ。

別の言い方をすれば、人生そのものだ。

多くの人は、自分の持っている貴重な財産である「時間」を、すぐその場で「お金」に換えて生きている。

おまえが大学に通いながらアルバイトをするとしよう。

一時間というおまえの財産をその場でお金に換えたら八百五十円もらえる。これが時給だ。月給だって、その場でお金に換えるという意味ではまったく同じだ。

「祐介」は物語の中で確かにひたむきに努力をしていたけれども、自分の持っている貴重な財産をお金に換えることをくり返しながら生きてきた。時間そのものが財産で、投資できるとも知らずに。

貴重な財産のほとんどすべてをその場でお金に換えて生きた人は、大きな成功を手にすることなんてできない。

**でも、この貴重な財産である「時間」を投資すれば、それこそ大きなものとなって返ってくる。**

たとえばおまえに、五時間の暇があるとしよう。

アルバイトをしてこの「五時間」という財産をお金に換えると、五千円ほど手にすることができる。多くの人は労働を将来の自分のための投資だと考えているが、それは間違いだ。その場でお金に換えているんだから、今の自分の欲求を満たす行為なんだよ。

ところが、この「五時間」という財産を別のことに費やしたとしよう。

そう、たとえば、この本を読むことに費やしたとしたらどうだろうか。

もちろんその場では一円も手に入れることはできない。しかし、今後の人生において手にできるものは、どんなに少なく見積もっても五千円以上の価値になると思うんだが、どうだろう?

今のおまえならどちらを選ぶかな。

これが「時間を投資する」ということなんだよ。

自分の欲しいものを手に入れるために払わなければならない犠牲のことを「代価」というのは知っているね。

世の中には、お金で買えるものと、そうでないものがある。

車にしても、家にしても、お金を払えば買うことができる。

お金で買えるものの代価は「お金」であるといえる。

ところが、「成功」なんてどこにも売っていない。日本全国、どこを探したって、「成功、〇〇〇円」なんてものが売っているところはない。

つまり、「成功」の代価は「お金」ではないということだ。

それでは、「成功」の代価は何か？

それが「時間の投資」だ。

それを「努力」と呼ぶ人もいるかもしれない。ただ、報酬を受け取るためにする努力、つまり「労働」も、「報酬を受け取らないでする努力」も同じように努力と呼ぶ人が多いから、やはり「時間の投資」と言ったほうが間違いないだろう。

いずれにせよ、成功の人生を求めて行動する前に、この代価についてちゃんと考えなければいけない。

ある野球少年が次の試合でヒットを打ちたいと考える。そのために、毎日今まで以上に素振りをしようと決める。

ここでは、「ヒット」の代価が「今まで以上の素振り」だね。

さて、次の試合でヒットを打つことができたその少年が、ある日店に行き、「チョコレート」を手に入れるためにレジの前で何百回と素振りをしたとしたら、どうだろうか。

その数を何千回に増やしたところで、目標を達成することはできない。

馬鹿なたとえ話だと思うかもしれないが、多くの人がこれと同じことをやっている。

ある事柄を達成するには、それ相応の正しい代価があるんだ。万能な代価なんてない。

もちろん「お金」があらゆるものの代価になることだってない。

それからもう一つ。

欲しいものに対する代価は正しくても、釣り合いがとれていなければ、自分の欲しいものを手に入れることができないのは言うまでもない。

手に入る成功というのは、代価として払う「時間の投資」と釣り合っている。

だから、おまえが人生において、小さな成功を手に入れたいと考えているのなら、少しの時間の投資が必要だろう。

大きな成功を手に入れたいのなら、多くの時間の投資が必要だ。

そして、もしおまえが、誰よりも成功した人生を送りたいと考えているのなら……。

もうわかるね。


「祐介」も自分の時間を投資に回して生きていれば、人生で手にするものが違っていたはずだ。残念ながら彼は、時間という財産をすべてその場でお金に換えて、それを貯めようとした。お金こそが財産であり、投資ができる唯一の手段だと信じてね。

そして、貴重な財産を犠牲にして得たそのお金さえ、そのときに欲しいものに変えてしまった。いや、それどころか「将来の時間」という財産までも、今の自分の欲しいもののために捧げる生き方に身を投じてしまったんだ。

ここでは「時間」について話をしたが、誤解のないように言っておく。おまえの持っている財産は時間だけではないよ。他にもいろんな財産を持っているんだ。それを育てていくことによって誰よりも幸せな人生をつくっていくことだってできる。

おまえの持っている他の財産についても考えてみるといい。

きっと、もっともっとたくさんあることに気づくだろう。

## 自分の価値観を持つ方法②
## ―頭を鍛える―

では、時間という財産を何に投資すればいいのだろうか？

これまでにこの世に生きた成功者たちは、次の二つのことに特に時間を投資してきたという点で共通している。


一つは頭を鍛えるため。

そして、もう一つは心を鍛えるため。


残念なことに、大学生の多くはあまり勉強をしていないね。

彼らは長い受験戦争の末に大学生になると、勉強することを避けようとする。まるでそれが苦しいことであるかのように。

勉強というのは本来楽しいものだ。だから大学というのは、勉強が楽しくてたまらない人が、楽しいことを続けた結果行く場所のはずだ。

ところが、実際はそうなっていない。勉強は苦痛であり、忍耐であり、我慢の連続だと若い人たちは思っている。

若い人たちだけじゃない。その親もそう思っている。「合格すればあとが楽になるんだから」という間違った常識を子供に押しつけて勉強をさせるんだ。すべては大学に行くために我慢しなければならないものであり、一流といわれる大学に進学しておけば将来は安定した職にありつける、と。

ところが、こういう人が人生において成功を手に入れることは難しい。

ライオンはどうして強いか、わかるかい？　答えは簡単だ。

鋭い爪と牙を持ち、走るのが速く、力も桁外れに強い。

彼らは何百万年もかけて、他の動物より強くなるために、そう進化してきた。そう進化したから生き残ったという説もあるが、いずれにせよ、そうなったからこそ百獣の王として君臨することができた。

強い者が生き残る。これが自然界の掟だ。

ライオン同士の間でも、もちろん同じことがいえる。他のライオンよりも、これらの面で優れているということが、ライオン社会における強さの証なんだ。それが劣るものは生きてゆけない。たとえ生きることはできても、その社会の中でいい思いなんてできない。せいぜいおこぼれにあずかるぐらいしかないかね。

さて、ここでわれわれ人間に話を戻してみよう。

人間は他のどの動物よりも強く、生物界の頂点に君臨している。

では、人間の強さの定義とは何だろうか？　他の動物より何が優れているから頂点にいられるのか。

今さら私が声を大にして言うまでもあるまい。われわれ人間は頭脳が進化したからこそ、万物の霊長として全生物の頂点に君臨することができるようになったんだ。

あるライオンがこう考えたとしよう。

「いやぁ、今まで食うか食われるかの世界だったから、爪と牙を使ってきたけど、もうそんな時代じゃないと思うんだよね。ちょっと頑張りすぎたから、爪と牙をはずして、しばらく楽に生きていこうと思うんだ。たてがみも黒く染めてオシャレにして、見た目重視で」

もちろんこのライオンは、爪と牙をなくしたことを後悔するだろうね。

当の本人にしてみれば、食うか食われるかの毎日はもうしんどかったのかもしれないが、今までそれがあったからこそ百獣の王として君臨できていたんだ。

ところが、それを手放してしまったら、ライオンとして生きていくことは叶わない哀れな生涯が待っている。生き残るためには、強いライオンの下について一生かけて守ってもらうしかなくなるんだよ。主人のために自分の生涯を捧げてね。

運悪く自分を守ってくれる群れを見つけることができなければ、生きてゆくことすらできない。

だからこそ、ライオンがその強さの象徴である爪や牙を放棄することは一時たりともありえない。自然界はシビアだということを彼らはよくわかっているからね。

ところが、同じくらいシビアな人間界に住んでいながら、それをやる人は多い。誰かに守ってもらう生き方を何の疑問もなく選び、人間として一番の力を磨くのをやめて、その誰かに一生を捧げて生きる。「自分は安定している」と信じながら……。

勘違いしてはいけないよ。私は組織の中に入ることを否定しているのではない。自ら武器を放棄した者が、守ってもらうためだけに組織に依存していることが問題なんだ。

おまえが本当に成功を手に入れたいと考えているのなら、どんなに面倒であろうとも、頭を鍛え続けることを放棄してはいけない。それを手放してしまったときからおまえの人生は、守ってもらうために支配される側になってしまうからだ。

**一生自分の好きなことをやって生きてゆく強さが欲しければ、人間の持つ一番の武器である頭を鍛え続けなければならないんだ。**

もちろん、学校の勉強だけが頭を鍛える方法ではないということはわかってくれているよね。

## 自分の価値観を持つ方法③
## ―心を鍛える―

さて、人生という時間を投資すべきもう一つのこと。
そう、「心を鍛える」ということ。
実はこちらのほうがずっと大切なことなんだ。

人間の人生をつくっているのは、その人の「心」だ。

**その人が心の中で何を考えているかで、人生が決まってくる。**

だから、常に心は積極的に、明るく、前向きにしておかなければならない。
こうなったらどうしようと悩んだり、過ぎたことを悔やんだり、とにかく考えることといえば、暗く消極的なことばかり。そんな心の状態のまま、成功した人なんていない。

おまえもそれはよくわかっているだろう。


ところが、実際に常に前向きでいるというのは、本当に難しいことだ。

人生には「こんなことがあって積極的になれるか!」と思うようなことが必ず起こる。

それも頻繁にね。

そう言うと、ものすごい災難を思い浮かべるかもしれないが、人の心を暗くするのは、案外小さなことだったりする。

たとえば、順番待ちしている列に誰かが割り込んできたとか、急いでいるときに事故渋滞に巻き込まれたとか、それこそ「祐介」のように他の誰かのほうがいい暮らしをしているとかね。


つまり、多くの人は、ほんの些細な出来事で、心の明るさや美しさや積極性をなくし、自分の人生を成功から遠ざけてしまっているということなんだ。

おまえが人生の成功を手に入れたいと考えているのなら、心の持ちようが人生をつくるということを理解するだけではダメだ。

それを理解した上で、多少のことでは明るさや前向きさ、積極性を失わないだけの心の強さを身につけなければならない。

おまえはもしかしたら、

「心の中からあらゆる消極的な考え方を捨てろと言われて、できる人なんかいるのか？」

と思うかもしれない。


**しかし、前向きな生き方をしたいと心から願う人は、そうできるようになる。**


すばらしく鍛えあげられた肉体を見たときに、

「あの人はいいなぁ。生まれつきすばらしい筋肉がついていて」

なんて言う人はいない。

均整のとれた肉体、きれいに割れた腹筋は、生まれつき備わっているものではなく、毎日の訓練の賜物であることを誰でも知っているからだ。

その人と同じだけの努力をすれば手に入るが、自分はそれをしてこなかっただけだとわかっているんだ。

だから、その努力を賞賛する。


ところが、これが心ということになると、すぐに「生まれつき」という言葉で片づけてしまう。

意志の強い人を見ては、

「私もあの人みたいに、生まれつき意志が強ければ……」

と言い、いつでもポジティブな人がいれば、

「私もあの人みたいに、くよくよしない性格を持って生まれていれば、どんなに楽だろう……」

と言う。

でも、「筋トレ」を続ければ誰もがきれいに割れた腹筋を手にできるように、「心トレ」によって、心を強く、明るく、美しくすることは、すべての人ができることなんだよ。

心というのは日々の生活の中でつくられ、変わってゆく。
だから、昨日までは弱々しく、悲観的で、後悔ばかりしていた心の持ち主であっても、どんなことをも恐れないで毎日をいきいきと生きる心に、
常に前向きなことだけを考える心に、
自分の夢に向かって、常に努力を続ける強い意志を生む心に、
いつも笑顔を絶やさない、明るい心に、
すべての人に愛を与える美しい心に変わることができるんだよ。

ただし、すぐにというわけにはいかない。

「美しく割れた腹筋をつくりたければ、一日二百回は腹筋をしなさい」

と言われて、早速、その日に二百回やってみた人がいるとしよう。

ところが、まったく見た目は変わらない。それどころか、翌日からひどい筋肉痛に悩ま

されて、運動を続けるどころじゃなくなってしまった。

そうなると、その人はこう言うんだ。

「一日二百回やったのに、何も変わらないじゃないか。おまけに、余計な筋肉痛までこしらえやがって。信用した俺が馬鹿だった」


誰だって話が「筋トレ」なら、これがいかに馬鹿げた考えであるかということがわかる。今まで何も運動をせずに、何年もの間、太るがままにしてきた人が、美しく割れた腹筋を手にするまでには、相当長い年月と苦労を要するのは当然のことだ。これまでに蓄えてきた脂肪の量があまりにも多い人は何年もかかるし、少ない人でも数ヵ月は必要だろう。ましてや、一日のみの努力で達成されるはずもないということは、誰が考えてもわかる。

気がついたときにやるというやり方が何の効果を生まないことも、志半ばにして努力をやめてしまったら、リバウンドにより、以前にも増して太ってしまうということすら、誰もが知っている。

さらには、並々ならぬ決意によって時間をかけ、理想の体型を手に入れたとしても、また何もせずに放っておいたら、一年もしないうちにだんだん醜く変形して、もとに戻ってしまうということも知っている。

これらのことは、心を鍛えるとき、つまり「心トレ」にもすべて当てはまる。

だから「一日やってみたけど効果がないから、やっぱり前向きになるのは無理」なんて考えちゃダメだ。

今まで身につけた余計な考え方の量が多い人は理想の心の状態を手に入れるまでに時間がかかるだろうし、少ない人なら数カ月で理想の状態になれるかもしれない。

いずれにせよ、一日で変えられるはずはないんだ。

気がついたときだけ実行するというのも意味がないし、志半ばにしてやめてしまったら、自分はダメな人間だという思いにさいなまれて、以前にも増して心が消極的になる恐れもある。

さらには、並々ならぬ努力で理想の心の状態を手に入れたところで、積極的な考え方を維持するための努力を怠れば、結局もとの状態に戻ってしまうだろう。

そのことを忘れてはいけないよ。

## やぶるべき四つ目の常識の殻
## ―お金を稼げることの中からやりたいことを選ぶ―

しばらく話が脇にそれたね。

でも、常識の殻の外に出ても、新しい成功者としての常識を手にすることができなければ、どうしていいかわからないままだからね。

今私が説明した三つのこと、

①「時間」を投資する
②頭を鍛える
③心を鍛える

これらを継続するだけで、これまでに挙げた三つの常識とは違う世界で生きることができるんだ。

つまり、自分なりの幸せを見つけることも、心の安定を手に入れることも、お金や見返りを気にせずに行動を決めることもできるようになる。

そのことを忘れずに、実践していってもらいたい。


さて、本題に戻そう。

「祐介」が人生を通じてとらわれていた五つの常識の殻。

残りはあと二つだ。


成功を夢見て人生をスタートさせたのに、思うようにいかずあきらめてしまった人たちに共通する二つの壁があるという話をしたのは覚えているかな？

一つは、何かを始めるのに十分な資金がなかったというお金の問題。

もう一つは、そもそも何をしたいのかが見つかっていないという問題。


一つ目の壁についてはもう説明したね。

そうなると問題なのは、二つ目の壁だ。

やりたいことをどうやって見つけるのか？

もしかしたら、おまえはこの部分が一番気になっているかもしれないね。

「祐介」がどうしてそれを見つけることができなかったのか、わかるかい？

そもそも、やりたいことって何だろう？

みんなそのあたりの定義があやふやなんだ。「祐介」もその一人だった。

やりたいことがあるという人も、実は自分があやふやなままそれを決めたということに気づいていない。そこには知らないうちに身につけてしまった常識があるんだ。

私はこれを書いている最中に、おまえにこんな質問をした。

「大学時代に、やりたいことはあるかい？」ってね。

覚えているかい？

おまえはこう答えた。

「たくさんある！」

そして、いくつか具体的に挙げてくれたね。

「海外旅行に行ってみたい。せっかくだから英語も話せるようになりたい。あと、自由な時間がたくさんとれそうだから、映画をたくさん見たいな。それから、楽器にも興味があるから、ギターが弾けるようにもなりたい」

どれも立派な「やりたいこと」だったよ。


次に私は、「大学時代」の部分を「将来」に変えて質問してみた。

「将来、やりたいことはあるかい?」

おまえだけじゃない。この質問をすると、多くの若者が目をそらし、肩を落としてこう答える。

「まだ決まっていない……」


おかしいと思わないかい? 私は同じ質問をしたんだ。

大学時代も将来も同じ未来だ。ところが、受け取る側が勝手に、無意識のうちにある条件をつけ加えたんだ。

「お金が稼げるものの中で」という条件を。

「やりたいこと」というのは、本来、自分がお金を払ってでも手に入れたいと思っていることのはずだ。海外旅行をするにしても、英語をマスターするにしても、それなりのお金を払う必要がある。おまえはそれを承知でやりたいと言ったんだ。

ところが、将来のやりたいことは、「お金を稼げることの中から探す」のが常識になっている。その常識の殻の外に出なければ、人生を通じてやりたいことなんて見つかるはずがない。

やりたいことは、そこら辺にあるものからふっとわいてくるものではない。

自分がやったことのあるものの中からしか生まれてこないんだ。やらずにわかる人なんていない。


**自分が一生をかけてやりたいと思えることは、**

## 時間をかけて、真剣に取り組み、工夫を重ねた経験があることの中からしか生まれてこない。

考えてみれば当然のことだけれど、多くの人はふっとアイデアが浮かぶと思っている。

子供の頃に考えていた将来の夢と同じようにね。

でも、子供の頃に抱く夢というのは、自分が社会というものに触れたときに、一番身近にあったものに興味を持ったにすぎない。

おまえは忘れているだろうが、おまえが最初になりたいと言った職業は、バスの運転手だった。幼い頃バスに乗るのが好きだったからだろうね。でも、他にもいろんな生き方があるということがわかるにつれて、別のものに興味が移っていった。

物心がつき、他人と比較して自分の幸せを確認したり、お金によって行動の基準を考えたりするようになるにつれて、自分がそれまで考えてきた生き方よりも、もっとお金が儲かる生き方があるんじゃないかと思い始めるんだ。そして、迷う。

大人になった今、バスの運転手になりたいと言っていた頃のおまえと同じ無邪気さで職業を決めることなんてできない。でも、同じ方法で何かが見つかるんじゃないかと思って期待してはいないかい？

**やりたいことというのは、自分が世の中の人の役に立てると自信が持てること、それを通じて人を幸せにできると思えるものの中にこそあるんだ。**

まだ何もやったことがないのに自信が持てたり、人を幸せにできると確信することはできない。だから、仕事でなくても、努力を重ね、真剣に取り組み続けていることがある人は、それに関係した仕事を自分の人生を通じてやりたいと思う日が遠からずやってくることになる。

誰よりも映画が好きで、誰よりもたくさん映画を見続けた人は、いつか映画評論家という仕事に就くことになるだろう。

写真を撮るのが好きで、いろんな工夫をして自分の納得のいく写真を追求し続けた人は、写真家となってその感動を人に伝えることを仕事にする日がやってくるだろう。

もしかしたら、写真を撮るのに夢中になって世界中を旅しているうちに、旅行記を書くことになる人もいるかもしれない。

いずれにしても、自分がお金を払ってでもやりたいことを続けるからこそ、本当にやりたいことが見つかるということに変わりはない。

だからこそ、時間の投資が必要なんだ。


やりたいと感じることとは、お金を払ってでもやっていく。それを続けることによって、自分の生きがいが見つかる。別の言い方をすると、自分ができること、知っていることの中で、世の中の人の役に立てるものが見つかる。

そのとき初めて、自分の人生を通じてやりたいことというのが生まれるんだ。


ここに至るまでには、時間がかかる。お金を払ってでもやりたいことが仕事になるまでには、熟成期間が必要なんだ。その熟成期間を持たずに、一度きりの自分の人生をかけてやりたいと思えることを見つけることはできないんだよ。

多くの人は、「祐介」のようにお金を貯めて、いつかやりたいことが見つかったときに備えている。けれども、やりたいことを見つけられず、他の人が持っていて幸せそうなものを手に入れるために、貯めたお金を使うことになる。

どうかな、祐輔。四つ目の常識の殻の外に出ることはできたかな？

そこでもう一度、この質問について考えてもらいたい。

「将来、やりたいことはあるかい？」

どうだい？　無意識のうちにあった「お金を稼げるものの中で」という前提をはずして考えられるようになったかな。

そうなると、やぶるべき常識の殻はあと一つだ。

## やぶるべき五つ目の常識の殻
# ―失敗しないように生きる―

さて、ここまでに挙げた四つの常識の殻の外に出ることによって成功の人生が手に入りそうだという明るい予感が、おまえの中にも芽生え始めているんじゃないかな。

ここまで読むのにきっと三~四時間かかったと思うが、この物語を読む前、つまり四時間前とは別人のように成長したのを自分でも感じるかい?

今のままでも十分、自分にしか実現できない幸せな人生を手にすることができると思う。

でも、最後の一つを忘れてはいけない。

この最後の常識の殻が一番強力で、その外に居続けることが難しいものなんだ。

「お金がない」「やりたいことが見つからない」

成功者というのは、この二つを壁とは思わない人種だったね。

それなら、この二つを壁と感じることがなくなれば、必ず成功者になれるのか。

残念ながら、それだけでは不十分だ。

やりたいことも、資金面も問題ないにもかかわらず、成功者になる道を歩めない人。

こういう人は一番大事なものがないと言ったのを覚えているかい？　三つ目の常識の話を読み返してほしい。

それは何か？


失敗を恐れずに挑戦する勇気だ。


「祐介」にはやりたいことがなかったように感じるかもしれないが、きっと彼が人生のどこかで起業することになったなら、先に独立した彼の同僚と同じように自分が続けてきた仕事をしただろう。そのことは彼自身もうすうす感じていたはずだ。

そして、手元には六百万円の蓄えがあった。

でも、彼には失敗を恐れずに挑戦する勇気がなかった。

このことには、「祐介」も物語の最後のほうになって自分で気づいたね。

そう、そういう人生を送ってしまった人は、あとになってから気づく。

でも、人生のスタート地点に立っている若いときには気づかない。


多くの人は、中学、高校と一生懸命勉強して少しでもいい大学に行き、少しでも就職に有利になるように生きる。それが成功の人生への近道だと思っている。親は子供にそういう人生を与えようとするし、先生をはじめとした大人たちも少しでもいい学歴を目指せとアドバイスする。

これが、やぶらなければならない最後の常識だ。

なぜなら、このレールに乗って生きてきたからこそ、失敗を恐れずに挑戦する勇気をなくしてしまう人がたくさんいるからなんだ。


受験の勝者は、必ずしも人生の勝者になれるとは限らない。

おまえは意外に思うかもしれないが、むしろ逆のことが多い。

親は誰だって子供に幸せになってほしいと考えている。

そして、失敗しないことが成功だと思っている。

でも、実はそうではない。

成功するというのは、数多く失敗しているということでしかない。

成功率そのものが飛び抜けて優れている人がいるというわけではない。みんな同じなんだよ。


**つまり、誰よりも多くの成功を手にした人は、誰よりもたくさん挑戦した人でしかない。同時に、誰よりもたくさん失敗を経験してきている。**


小さい子供は挑戦に満ちている。

うまくいくとかいかないとか考えずに、何でも自分でやりたがる。

たとえばコップに飲み物を入れたり、それを運んだりしたがる。

でも、親はそれをさせたくない。なぜかわかるかい？

そう、こぼすと面倒だからね。しかも、ほぼ間違いなくこぼす。つまり、それをやらせると、予想した面倒が必ず起こるんだ。

そして「余計なことをするな」と怒る。

そんなことを続けていくと、どうなるか。


子供は挑戦する勇気をなくすんだ。


何か新しいことに挑戦すると、まずは必ず失敗する。

失敗すると、大人に怒られたり、責められたりする。

もちろん子供にとって怒られるのはうれしいことではない。

そこで、絶対に成功しようと頑張るようになるかというと、そうではない。だって頑張ったってうまくいかないんだ。初めてやることはうまくいかないものだからね。

そうなると、怒られないようにするための手段は一つだけになる。

それは、新しいことに挑戦することそのものをやめることだ。

そうやって育っていった子供たちは、小学校、中学校を経て高校、大学へと進む過程で、受験に失敗しないように、大切に大切に育てられる。

つまり大学というのは、勉強において大きな失敗をしなかった人たちが集まる場所になりやすいんだ。

それも本人にさほどやる気がなくても、まわりの大人ができる限り失敗をしないようにと、塾に行かせたり、家庭教師をつけたり、予備校に通わせたりして力の限りサポートしてくれるからね。偏差値が高い大学になればなるほど、そういう傾向が強くなる。

いわゆる一流といわれる大学を卒業する人は、勉強において成功体験を積み重ねてきた人が多い。その事実だけを考えると、その先の人生においても有利な位置にいると誰もが疑いなく思っている。

ところが、彼らのほとんどは安定志向を持つ。

彼らの持つ安定志向とは、言い換えれば、人生において失敗したくないという気持ちの表れだ。

そして、自分らしい人生を手に入れるために挑戦する生き方よりも、失敗しないように挑戦しない生き方を選ぶようになる。おそらく本人も自覚がないままに。

その結果、物語の中の「祐介」のように、失敗しないで成功する方法を探さなければならないという制約に苦しめられるようになる。

失敗の経験が少ない人はプライドが高くなる。そして、プライドが高い人間ほど「俺が失敗するわけにはいかない」と強く思うようになり、ますます挑戦する勇気をなくしていくんだ。

「祐介」ははじめから失敗を恐れていた。

でも、失敗を恐れる心が、すべてを不可能にしてしまうんだ。


**挑戦する勇気を失った者は、幸せな人生をも失ってしまう。**

おまえは去年一年間浪人したね。

私はそれをとてもいい経験になるだろうと思った。


そもそも失敗なんてものは存在しない。

多くの人は、はじめに予想したとおりの結果が手に入ることを成功、予想どおりにいかないことを失敗と呼ぶ。でも、本当にそうだろうか？

思ったとおりに事が運んだのがそもそもの不幸のはじまりだったということもあれば、起こってほしくないと思っていたことが、実は自分の人生にとって一番必要な経験だったということもある。

そう考えると、挑戦したことによって手に入る経験はすべてが財産だということがわかる。その経験が、おまえを成功の人生へと導いてくれるんだ。


今の世の中は、大人が失敗しない人間を育てようとしている。子供もそれがいいことだと思っている。

誰かが何かで失敗したという事件が起こると、社会全体でその失敗を徹底的に責める。

そのニュースを見た子供も親も「そういう失敗をしない人にならなきゃ」「あなたは失敗しちゃダメよ」と敏感になる。

でも、これは間違っている。


祐輔、私はおまえに、これからいろんなことに挑戦して生きてもらいたい。

失敗しないように頑張れなんて言うつもりはない。

たくさん失敗してもいいから、今までの自分にできなかったことにどんどん挑戦してもらいたい。


もちろん、はじめは思ったような結果が得られずに苦しむだろう。

ひどいときには、その失敗を世間全体から責められることもあるかもしれない。

そんなときは、私がおまえの味方になろう。

だから、恐れてはいけない。


大切なのは、予想どおりの結果を手に入れることじゃない。

挑戦する勇気を持ち続けることだ。

## 成功した人がかっこいいんじゃない。
## 挑戦し続ける生き方をするのがかっこいいんだ。

もちろん頭でわかってはいても、誰だって失敗をするのはいやだし、怖いものだ。
だから、父さんが一つ、失敗を恐れなくなるおまじないをかけておこう。

失敗とはどういう状態のことをいうのか、わかるかい？
試験で不合格になること。
人に負けること。
事業に失敗すること。
思いどおりの結果が手に入らないこと。
一般にはそんなことだと思われているだろう。
でも、これらは本当に恐れるべきことだろうか？

実は、本当に恐れるべきことは、多くの人が成功と考えていることのほうだ。

世の中の多くの人は、いや、ひょっとするとこの本を読むまでのおまえもそうかもしれないが、望みどおりの結果が手に入る状態を成功だと思っている。


ここでちょっと考えてみてほしい。


もし人生すべてにおいて、おまえの望んだとおりのことしか起こらないとしたらどうだろう？

どんなに大きな望みも、小さな望みも、すべてが思いどおりになる人生。

さぞかし楽しいだろうと思うかい？

答えは反対だ。

その人にとっては、すべてのことが当たり前になってしまう。

ちょうど私たちが蛇口をひねれば水が出るのが当たり前だと思っているのと似ている。

何かトラブルが起こって水が出なくなると、誰もがはじめは憤慨する。水が出ないことに対して腹を立てる。

でも、そこに一つのチャンスが生まれる。

蛇口をひねれば水が出るのは当たり前のことじゃないんだ。いつも当たり前のように思って使ってきたけれど、実はとてもありがたいことなんだと感動したり、感謝したりするチャンスだ。

すべてが思いどおりにいく人生なんて、何の感動も感謝もない。

そんな人生では、いくら多くのものを手に入れようとも幸せを感じることなんてできない。

父さんはこう考えている。

思うようにいかない出来事は、何もなければ退屈な人生に、感動や感謝を与えてくれる退屈しのぎのための道具なんだってね。

わかるかい？

**普通の人が失敗と呼んでいる出来事こそが、人生に感動や感謝、新しい出会いといった、幸せな人生を送る上で必要なもののすべてを運んでくれるんだ。**

決して、手に入れた物質によって幸せになるわけではない。

人生におけるただ一つの失敗は、やりたいことがたくさんあったにもかかわらず、結果を恐れて動けないまま、人生を終えることだよ。

つまり、何の挑戦もせずに一度しかない人生を終わってしまうことこそが失敗なんだ。

物語の中の「祐介」が人生の失敗者のように見えたのは、彼が人生の中で手に入れたものが少なかったからではない。結局それまで自分のやりたいことに何も挑戦してこなかったからだ。

## 「生きる」ということ

ここまで読んでくれてありがとう。

私の伝えたかったことはもう十分伝わっただろう。

あとはおまえが、自分の人生をすばらしいものにするために、五つの常識の殻の外で、勇気を持って挑戦を続けるだけだ。


おまえと父さんは、口を開けば口論になることが多かったね。でも父さんにとっては、それほどいやなことではなかったんだよ。おまえの中に自我が確立してきた証拠だ。それも一つの成長だからね。

ただ、素直になれないからといって、それだけの理由で相手を否定してしまうと、大切なことすら伝わらないままになってしまう。

そんな状態で、私がどうしてもおまえに伝えたいことを出発前に話したところで、「はいはい（いつものことだ）」で終わってしまっただろう。

そこで、本当に伝えたいこと、素直に受け入れてほしいことは書いて伝えたほうがいいと思ったんだが、その試みはうまくいったかな？


父さんは、おまえのじいちゃんとはあまり話をすることがなかった。そうすることなく、じいちゃんはこの世を去ってしまったからね。あれはおまえがまだ小学生の頃だったかな。覚えているね。

今となっては残された手紙だけが、じいちゃんが何を考えていたのかを知る手がかりだ。でも、その大事な手がかりである手紙も、ほんの数通しかない。おまけにどれも三～四行と短い。

「元気でやっているか。近所の公園では桜が満開だ。たまには家に帰ってこい。母さんが心配しているぞ」

とかね。

今となってみれば、もっといろんな話をしておきたかったと思う。

ただ、そうやって考えてみると、私はおまえともほとんど話をしない間柄になってしまった。そしてこれからも、きっとあまり口をきかないだろうということも想像がつく。

だから、書いて残しておこうと思った。

私がおまえに伝えたいことを。おまえに素直に受け入れてほしいことを。

「どうしてもっと話をしておかなかったんだ」

とおまえが後悔する前に。

いや、私が後悔する前に……。

おまえも知っているように、私は三年前、ガンの手術をした。

発見が早かったこともあって、今はもう心配をしなくてもいい状態になった。

ただ、あのときはおまえにも本当に苦労をかけたね。

口には出さなかったが、もしかしたら私が死ぬかもしれないと心配したんじゃないかと思う。

実をいうと、私自身がそうだった。

しかし、運良く私は助かった。

あの手術以来、私はもう一度人生をいただいたと思っている。

そして、人生には限りがあること、その日はいつやってきてもおかしくないということを、自分のこととしてはっきりと学んだ。偉そうに「世の中の多くの人」なんて他人事のように書いてきたが、はじめにも書いたように、私自身もかつては「多くの人」の中の一人だったんだよ。

病気をしていようがいまいが、人間はあと数日で死ぬかもしれないし、これから三十年以上生きることができるかもしれない。それは誰にもわからない。

でも、たとえあと二、三十年生きたところで、今伝えたいことは、今伝えなければ、チャンスはもう二度とないんだということに気がついたんだ。

私とおまえが一つ屋根の下で一緒に生活することは、きっともうないだろう。おまえもその覚悟で東京の大学へ進学したんだろうし、私もその覚悟で送り出している。

それなのに、もし私が病気をしなければ、今回のおまえの旅立ちの日にも、短い手紙を一通渡すぐらいで終わりだっただろうし、その後も数年に一度、短い便りを出すだけだっただろう。おまえのじいちゃんと私のようにね。

その思いが、これだけ長い文章を私に書かせた。

そういう意味では、私は死を意識しなければならないほどの病気を経験したことに感謝している。そういうきっかけがなければ、人生について深く考えることも、おまえにこの本を書いて渡すことも、自分で物語をつくることもなかっただろう。どうしてそれを父親としてもっと早くしてやれなかったのかと反省しているくらいだ。

自分の命に限りがあるということに気づいてからあわてて、できることを探したんだ。ここまで多くのことを私に書かせたのは、恥ずかしい話だが「死」の存在だよ。

そんな思いを胸に書いてきたこの本も、そろそろ筆を置かせてもらおうと思う。

でも、せっかくだからもう一つ。

父さんが今、心に抱きながら過ごしている人生観を書かせてもらいたい。

今、その場で、自分の手を見つめてごらん。
そして、自分にこう質問してみる。

「この手はどこから来たのか？　いつからここにあるのか？」

変な質問だと思うかもしれないが、実はこの質問にちゃんと答えるのは難しい。
おまえの手は何からできているか、知っているかい？
そう、炭素や酸素、水素、窒素といった原子が組み合わさってできている。
じゃあ、その原子は自分でつくっているのかというと、そうではない。人間は自分の手をつくる材料を、自分の中からつくり出すことはできない。外から取り入れるしかないんだ。食べたり、飲んだり、呼吸したりすることによってね。

人間をつくりあげている原子は、生物ではないから、増えもしないし、なくなりもしない。これがどういうことかわかるかい？

今の私をつくっている原子は、昨日は米をつくっていた原子や、先週は牛をつくっていた原子などが組み合わさってできているんだよ。そして、この部品である原子は、死にもしなければ増えもしない。つまり、ずっとこの世に存在していたんだ。百年前も、二千年前も、それこそ地球が誕生したときからずっと、この地球上に存在していたんだよ。

ということは、おまえはこの世に生まれて十九年程度しかたっていないけれども、おまえをつくっているすべての部品は、地球が誕生した瞬間から、つまり四十六億年も前からこの地球上にあったものを使ってできているんだよ。

われわれ人間の寿命はせいぜい長くて百年程度だ。でも、それをつくっている部品は、地球ができたときからすでにこの世に存在している。いや、本当は地球ができるよりも前から宇宙に存在していたのだろう。

生きている間は「自分」として、これらの部品を拝借しているだけなんだよ。絶えず新しいものと古いものを入れ替えながらね。今までいろんなものに使われてきた部品が、今、この瞬間はたまたま私という人間の形をつくっているにすぎない。

そして、人間として生きている間にさまざまなことをする。それがわれわれの人生だ。

私たちは裸で、何も持たずに生まれてくる。そして約百年だけ、この世に何十億年も存在する部品を使って「自分」というものをつくっていいという期間が許されている。それが終わると、何も持たずに死んでいく。そのあとは、いくら同じ部品を集めても、もう「自分」というものをつくることはできない。

その貴重な「自分」というものをつくることが許された期間に何をするか。

私はそう思って今を生きている。

ちょっと難しかったかもしれないが、きっと自らの命の尊さに気づき、人生を通じていろんなことに挑戦してみたくなるには十分な話だったんじゃないかと思う。

おまえにもぜひ考えてみてもらいたい。

「自分をつくることが許されたこの百年間に、何をするか？」

そして、忘れてはならないのは、五つの常識の殻の外から人生を見つめることだ。

幸せの基準を自分自身で決めているか？
安定志向になっていないか？
お金が行動の基準になっていないか？
やりたいことをどうやって見つけるか？
失敗を恐れていないか？

常にそう自分に問いかけながら、自らの人生を歩んでいってほしい。

祐輔、ありがとう。
本当にありがとう。
おまえとともに過ごした十九年間は、父さんにとって最高の宝物だよ。

さあ、これからだ。
祐輔の本当のライフストーリーのはじまり、はじまり！

――――――――――――

緑の表紙の本はそこで終わっている。
そして最後のページに、一通の手紙がはさまれていた。
祐輔は本を閉じるとすぐに封筒から手紙を取り出し、読み始めた。

もうすぐ東京だ。

# 追伸

最後にもう一つだけ、おまえに伝えておきたいことがある。

私の書いた本を読んで、世間の常識の殻の外に出て、自分なりの価値観をつくることが、成功の人生を手に入れるためにどれほど大切なことか、しっかりわかってもらえたことだろう。

ただ問題なのは、どうやってそれをするかだ。

おまえも私が書いたことに納得しつつも、具体的に何をやればいいのか、まだ迷いがあるかもしれないね。だから、最後にそのことに触れておこう。

とはいえ、おまえはもうその方法を知っているんだよ。

人生を変えるのに長い時間はいらないんだ。自分が何年にもわたって信じて生きてきた価値観なんて、数時間で変わってしまうものなのさ。

たった一冊の本との出会いによって。

おまえもこの数時間で、それを感じたはずだ。

この数時間で、これまで十九年間考えたこともなかったようなことを、いくつも知ることができただろう。今までおまえが常識だと思って生きてきたことの多くが、実は理想の人生を遠ざける非常識だったという発見もあっただろう。

一冊の本を読むという行動によって、「祐介」という一人の人間が半生を通しても学び得なかった知恵以上のものを手に入れることができた。

それどころか、父さんが人生を通じて発見したことも手に入れた。その父さんの知恵というのもさまざまな人たちの英知の集合体だが、それらをたった数時間で手にしたんだ。

もうわかったね。

常識の殻の外に出て、新しく成功者の常識を身につける具体的な方法は何か。

そう、本を読むことだ！

それも、良い本を。

そうすば、頭も心も鍛えられる。

そして、幸せな成功者になる方法を自分の力で見つけていくんだ。

延々と書いてきた割には、あっけない結論だと思うかい？

得てして、重要な真理ほど単純なものだ。

それでも、これはとても大切なことなんだよ。

一日という時間をその場でお金に換えても、せいぜい一万円程度にしかならないが、その一日を読書に投資すれば、成功者が一生かけて学び得た知恵を自分のものにすることだってできるんだ。その経験がのちにもたらすものは計り知れない。

しかも、そんなすばらしい本が世の中にはたくさん存在する。それこそ成功者の数だけある。

人生のある一日にその本と出会ったから今日の成功があるといえるような一冊が、どんな成功者にもあるものだ。

そう、人生を変えた一冊というやつがね。

そして、そういう一冊と出会って成功した人は、必ずあることをする。

自分も本を書き、人生を通じて学んだ数々のすばらしい知恵を、自分のように幸せな人生を送りたいと考えている人のために書き残すんだ。

父さんがおまえのためにこうやって書いているようにね。

祐輔、いつだって本を読みなさい。

その習慣が、おまえに成功者の常識を与えてくれるだろう。

自分が本当にやりたいこととめぐり合わせてくれるだろう。

挑戦する勇気を失いそうなときに、何よりも力を貸してくれるだろう。

そして、成功者の常識を持って生きるおまえにとって、成功は特別なものではなく、当然の結果になるんだ。


さて、実は父さんも、おまえに私がこれまで学んできた英知を伝えたいと思っている。

そこで、私が読んできた本をおまえに送ろうと思う。

それを読めば、私が何を考えて生きてきたのか、どうしてそう考えるようになったのか、わかってもらえるだろう。この本で書いた内容は、私の考えのほんの一部だということもね。


もちろん、おまえは自分で自分の人生をつくっていかねばならないから、他にもいろんな本を探して、どんどん自分を成長させていってほしい。

だから、その負担にならないように、三カ月に一冊ずつ送ることにしよう。

そう、ちょうど季節ごとに一冊、大学に通う四年間で十六冊だ。

たった十六冊だが、何度も読んで自分の中に取り入れれば、大学に四年間通うよりも大きな価値を手に入れられるはずだ。約束するよ。

自分のやりたいことだって必ず見つかるはずだ。

一冊目の本が送られてくるまでは、私が書いたこの本をくり返し読み返して、自分の中での常識にしていってもらいたい。

四年後、おまえが大学を卒業する頃には、今とはまったく違う常識を身にまとった大きな若者に成長していることを期待しているよ。

おまえが幸せな人生を手に入れることを心から願っている。

愛する息子、祐輔へ

父より

# 新たなる旅立ち

品川を過ぎたあたりから周囲に背の高いビルが建ち並び、祐輔を乗せた新幹線はその隙間を縫うように走っていた。

祐輔はベースボールキャップを深くかぶり、窓枠に右ひじを乗せ、手のひらで口を覆うように頬杖をついて、窓の外を眺めていた。読み終わるまで気がつかなかったが、いつのまにか雨が降っていた。雨粒が窓にあたって真横に流れる。

あふれてくる涙を隠そうとは思わなかった。名古屋から隣に座ったビジネスマン風の男は、雑誌を読んでいたかと思うとすぐに寝てしまい、今もまだ眠っている。

「見られたところでどうってことないさ。どうせ、二度と会わない人たちだ」

祐輔は頬を濡らしたまま、拭おうともしなかった。

「まもなく東京駅に到着します」

アナウンスと同時に、隣の男はパッと目を覚まして起き上がり、さっさと出口のほうへ行ってしまった。すでに出口に並ぶ人の列が通路にまで伸びている。

祐輔は相変わらず窓の外を見ていた。

ひざの上には、父親が書いてくれた本が載っている。

祐輔はそれを左手でしっかりと握りしめていた。

まもなく新幹線は東京に着いた。

東京駅を忙しそうに歩いている人たちが、彼の父親の言ったように、物語の中に出てくる「祐介」のように見えた。

祐輔は新幹線に乗っていた四時間ほどの間に、自分の価値観が、そして自分の人生そのものが大きく変わったのを感じた。

ほんの数時間前までは、憧れの東京生活を満喫することしか考えていなかった。

「大学に入るためにあれだけ頑張って勉強したんだから、入ったら好きなことをやって過ごそう。サークル、コンパ、旅行……。ま、たまには勉強もするかな」

そんなふうに考えていた。

「仕送りがいくらあるから……」

と、お金を基準にやるべきことを決めていた。

「将来はお金持ちになって、自分の会社をつくって……」

漠然とそう考えていた。

そう、何もかも若い頃の「祐介」そのままだった。

ところが、今は違う。

今一番やりたいことは「知る」ことだった。いろんなことを知りたいと思った。

祐輔は、自分の行動基準がお金ではなくなっていることを感じていた。

そして、それを伝えてくれた父親に心から感謝した。

「ありがとう、父さん。

今は自分を磨きたくてしかたないよ。

きっとこれが成功者への第一歩なんだね。どうつながっているかはまったくわからないけど、幸せな人生につながっていると確信できる。

それに気づかせてくれて、本当にありがとう」

数時間前とは違い、祐輔はこう感じていた。

「俺の人生は、思っていたよりもずっとずっとすばらしいものになりそうだ」

なぜそう思ったのかは自分でもよくわからない。

でも、そういう気持ちにさせてくれたのも父のおかげなのは間違いなかった。

祐輔がアパートを借りた高円寺に着く頃には、雨は上がっていた。地面はまだひどく濡れていて、頭上には分厚い雲が低くたれこめていたが、西の空の雲の隙間から差す光が祐輔の顔を照らした。

涙はもうなかった。

肩からずり落ちそうになるカバンを力をこめて持ち上げ、水たまりを飛び越し、祐輔はしっかりとした足取りで歩き始めた。

左手には、父親からの最高の贈り物がしっかりと握られていた。

「これから、どんなときも、幸せな成功者の顔をして生きていこう」

東京駅で見た多くの人たちの顔が「祐介」のように見えて、祐輔はそう強く心に誓った。

決意に満ちあふれたその顔つきには、自信がみなぎり、将来への期待に目が輝いていた。


——終——

## あとがき

僕はこの作品に、多くのメッセージをこめようとしました。結果として、何を書くかよりも、何を書かずにおくかということを考えるのに多くの時間を費やしました。

父親が、十九年間一つ屋根の下で生活した息子に贈る手紙という設定は、その多くのことを伝えるのにとても都合がいいものだったと思います。

たくさん伝えたいことがあるはずなのに、いざとなると言葉にならない父と息子。それが、何かをきっかけにして堰を切ったように想いがあふれてくる。

他人には決して言わないようなことも、血のつながった息子になら言える。いや、息子の将来を思うからこそ言う。

普段は無口で温厚な父親が、文章を書き始めたのをきっかけに、丁寧ではあるけれども、思い切った発言をくり返しては熱くなっていったせいで、僕は今までの作品では書かなかったようなことも書かなければならなくなってしまいました。

作品にこめられたたくさんあるテーマの一つは「常識」です。

このストーリーの中には「常識」という言葉が何度も出てきます。

そして、父は息子に、その「常識」の殻の外に出ることを強く促します。

けれども、これは今の社会の「常識」を否定することが目的ではありません。

親としての挑戦を描きたかっただけなんです。

「常識」という言葉には、やぶってはならないという強迫観念が内在します。それは一種の「不文律」のようなもの。

昔は「常識」というのは各家庭によって違いました。

それぞれの家庭にはそれぞれの家業や事情、考え方があり、人の生きる道や人生観、価値観、道徳観といったすべての常識は親が子供に伝えるものでした。

だからこそ、子供はその常識にしばられて生きる必要性があったともいえます。

それは自分が守るべき信条となり、その子の生き方を決定していきました。

ところが、一歩家の外や町の外に出てみると、自分とまったく同じ価値観で生きている人なんていない。おかげで、すべての人が活躍する場所を見つけやすい世の中だったんじゃないかと思います。

一人ひとりが別々の価値観を持ち、常識が違うのが当たり前の社会。

みんなが違うからこそ、お互いを必要とし、尊重し、助け、助けられ、感謝することができた。そういう意味では、それは自然な調和だったといえます。人間は一人ひとり違う。だからこそ、一人ひとりが違う常識にしばられて生きるほうが自然なことなんです。

わが家の常識も、隣の家では非常識でした。僕の町内の常識は、隣の町内ではまったく通用しませんでした。

僕が育った時代がそういった時代の最後だったように思います。

テレビが家庭の主として、かつては父親がいた位置に鎮座し始めてから、「常識」は父親が子供に伝えるべきものではなくなりました。そして、どの家庭においても差がないものになりました。

常識をつくる主は時代とともに変わってしまいましたが、人生観や生き方がそれにしばられるという習性は今でも残っています。

それは常識でも、ましてや真理でも何でもなく、発信する側がつくりあげた一つの「情報」にすぎないはずなのに、それを「常識」と思い、誰もがそこからはずれることを恐れて生きるようになった社会。

どこに行っても同じ常識で生きている同じ価値観の人と出会う。そのことに違和感すら持たず、一人ひとり違う人間が同じ生き方をしようとして、自分の居場所を見つけられずに苦しむ若者たちが多いように感じます。

この物語は、「わが家の『常識』は私が創る。そして、私が息子に伝える」と決意した父親の挑戦を描いたものです。

父親として、自分の息子には世間の常識ではなく、他の誰とも違う常識を物差しとして生きてもらいたい。

他人にあわせて生きるのではなく、自分で決めたルールに従って生きてもらいたい。

そう考えながら、他の人から非常識と言われることを恐れずに筆を進めた、まさに一人の父親の挑戦なのです。

ですから、このストーリーに書かれていることが、すべての人の生き方に光をもたらすわけではないかもしれません。

これは、いつかは自分で会社を興したいと思っている息子、将来に大きな成功を夢見ている息子に対する、父からの助言です。同じ息子でも別の夢を追いかけて生きている息子であれば、別の助言をしたはずです。

ただ、そういうものであることを十分承知の上で、最後まで読んでくださったあなたの人生においても、何かしらお役に立てることがあれば、著者としてこれほどうれしいことはありません。


「本を読もう」

昔から大人は子供たちにこう言い続けてきました。

そこには、自らの人生は自らがつくる常識にのみしばられて生きなければならないという熱い思いがこめられていたのでしょう。

僕も本を読むことのすばらしさを一人でも多くの人に伝えたいと思い、こうやって本を執筆したり、NPO法人読書普及協会という団体に参加させていただいたりして、日々活動をしています。

この一冊が、そして僕のさまざまな行動が、一人でも多くの人の人生に光をもたらすことを心から期待しています。

この作品を最初に書いてから、気づけば五年という歳月が過ぎていました。

その間、いろいろな方からさまざまなアドバイスをいただいたおかげで、こうやって作品として出版することができるようになりました。本当に心から感謝いたします。

とりわけ、長い間ずっとこの作品のことを気にかけてくださっていた、ディスカヴァーの干場社長と、編集を担当してくださった橋詰さんに心からお礼を申し上げます。

そして、この作品を最後まで読んでくださったあなたにも心から感謝いたします。

ありがとうございました。

そうそう、最後にもう一つ。

「祐輔」のお父さんの書斎にあるデスクの引き出しから、彼が祐輔に贈ろうと思っていた本のリストが見つかりました。

どうも学年ごとに、お父さんが考えるテーマがあるみたいですが、それは本を読んで自分で考えなさいということなんでしょうか。書かれていませんでした。

本のリストのほうは、せっかくですから紹介しておきますね。

うーん、やはり大きな志を持って上京する息子に贈る本だけに、気合いが入っていますね。僕の作品も数冊入っていて、うれしいやら恥ずかしいやら……ですが、僕も作品はいつも僕の愛する人に絶対に読んでほしいと思って全身全霊をこめて書いていますからね。祐輔のお父さんにそういう愛情が伝わったのかなぁと思うと、本当にありがたいです(笑)。

二〇〇九年一月　著者記す

# 父から息子へ贈る本リスト

［大学一年］

春

**『アルケミスト――夢を旅した少年』**

パウロ・コエーリョ／角川文庫

「僕は神父になりたいのではない。旅がしたいのです」

一人の少年が教えてくれる、夢を持つこと、そして最後まであきらめないことの大切さ。

夏

**『君と会えたから……』**

喜多川泰／ディスカヴァー・トゥエンティワン

「昨日までできなかったという事実は、今日もできないという理由にはならないのよ」

ある女の子が教えてくれた、人生で本当に大切なこと。

秋

**『I met a boy. 父の日に、バンビ公園で。』**

松尾健史／ディスカヴァー・トゥエンティワン

大人になればなるほど、小さくなってしまうものがある。それは自分にとって一番大切なもの。そのことを思い出させてくれる一冊。

冬

**『この世で一番の奇跡』**

オグ・マンディーノ／ＰＨＰ文庫

どんな人であっても、今この瞬間から新しい人生を始めることができるんだという勇気をもらえる一冊。

［大学二年］

春

**『君たちはどう生きるか』**

吉野源三郎／岩波文庫

一九三七年という時期にこの本が出版されたことに驚き、その内容が今でも私たちの心をとらえて放さないということに心から感動します。

夏

**『「原因」と「結果」の法則』**

ジェームズ・アレン／サンマーク出版

一時間もあれば読めてしまうほど薄い本の中に、人生のすべてが詰まっている一冊。人生に起こる出来事はすべて必然であるということがわかります。

秋

**『アミ　小さな宇宙人』**

エンリケ・バリオス／徳間書店

ある人が善人か悪人かは、私たちが心の中でつくりあげた幻想でしかない。本当の愛とは何かを真剣に考えるきっかけをくれる一冊です。宇宙人に会ってみたくなります。

冬

**『新史　太閤記』（上下）**

司馬遼太郎／新潮文庫

世界にも類を見ない人類史上最高の出世物語。それを成し遂げたのは「サル」と呼ばれた一人の男だった。

コンプレックスは武器だということをこれほど見事に教えてくれる人物はいないでしょう。

［大学三年］

春

**『手紙屋――僕の就職活動を変えた十通の手紙』**

喜多川泰／ディスカヴァー・トゥエンティワン

働くのは生活費を稼ぐためではない。

　就職活動に乗り遅れた一人の大学生が、手紙のやりとりを通じて成長していく物語。

　仕事とは、そして働くとは何かということを教えてくれます。

夏

**『手紙屋～蛍雪篇――私の受験勉強を変えた十通の手紙』**

喜多川泰／ディスカヴァー・トゥエンティワン

「どうして勉強しなければならないの？」

誰もちゃんと答えることができなかったこの質問に、手紙屋がサラサラと答えていく。

勉強が大好きになる一冊。

秋

**『ビジネスマンの父より息子への30通の手紙』**

キングスレイ・ウォード／新潮文庫

起業家であり、数々の会社の経営者である父が息子に送った三十通の手紙。息子の人生の節目に綴られた手紙には、父親の愛情があふれています。

冬

**『壬生義士伝』(上下)**

浅田次郎／文春文庫

石を割って咲く花でありたいと心から思える一冊。自らの人生を見直すきっかけを必ず与えてくれます。

［大学四年］

春

**『坂の上の雲』(一〜八)**

司馬遼太郎／文春文庫

約百年前の日本を描いた歴史小説。ほんの百年前、この国にはこれほどまでに熱い人たちがいたんだ、国民全体にこんなにも勇気があったんだと心が震えます。

夏

**『賢者の書』**

喜多川泰／ディスカヴァー・トゥエンティワン

私自身が自分の使命をまっとうする人生を送るために、人生の教科書としていつも読み返している本です。

秋

**『君に成功を贈る』**

中村天風／日本経営合理化協会出版局

大きな成功を収めた人で彼を知らない人はいません。
あらゆる成功者に影響を与え続けている哲人の優しくも熱い言葉が、魂を揺さぶります。

冬

**『人を動かす』**

デール・カーネギー／創元社

この本を読む前と読んだ後では、必ず生き方が変わる。

世界中で読まれている不朽の名著。すべての人が社会に出る前に読むべき本の一つです。

※その他二冊の小冊子をそれぞれ入学、卒業時に贈る。

入学時

**『クマともりとひと——森山会長講演録』**

日本熊森協会

私たちの成功は、唯一住めることが確認されている「地球」という場所があってのこと。私たち一人ひとりが今、何ができるかを考えなければならないということに気づかされます。

卒業時

**『植松努 信じる力——植松努講演録』**

NPO法人読書普及協会

植松さんは北海道で宇宙開発をされている「宇宙遊泳観光事業化」に最も近い日本人です。子供の心のまま大人になったら、人間にはどんなにすごいことができるのかを教えてくれる一冊です。

（編集部注）この二冊のご購入につきましては、各発行元にお問い合わせください。

# 上京物語

## ～僕の人生を変えた、父の五つの教え～


発行日　2009年2月20日 第1刷

Author　喜多川泰

Publication　株式会社ディスカヴァー・トゥエンティワン
〒102-0075 東京都千代田区三番町8-1
TEL　03-3237-8321(代表)
FAX　03-3237-8323
http://www.d21.co.jp

Publisher　干場弓子

Editor　橋詰悠子

Promotion Group
Staff　小田孝文／中澤泰宏／片平美恵子／井筒浩／千葉潤子／飯田智樹／佐藤昌幸／横山勇／鈴木隆弘／山中麻吏／空閑なつか／吉井千晴／山本祥子／猪狩七恵／山口菜摘美／古矢薫

Assistant Staff　俵敬子／町田加奈子／丸山香織／小林里美／井澤徳子／古後利佳／藤井多穂子／片瀬真由美／藤井かおり／福岡理恵／長谷川希／橋本健吾

Operation Group
Staff　吉澤道子／小嶋正美／小関勝則

Assistant Staff　竹内恵子／熊谷芳美／清水有基栄／鈴木一美／榛葉菜美／小松里絵／濱西真理子

Creative Group
Staff　藤田浩芳／千葉正幸／原典宏／三谷祐一／石橋和佳／大山聡子／田中亜紀／谷口奈緒美／大竹朝子

DTP　谷敦

Proofreader　株式会社文字工房燦光

Printing　大日本印刷株式会社





ISBN978-4-88759-690-0